文学マスター法

権藤三鉉

文藝書房

はじめに

筆者は、大学時代、国文学を専攻したが、勉強、学問が出来なくて、劣等生であった。そのため、退廃的な学生生活を余儀なくされ、読書も量的に、文学書を読み漁る日々が続き、自己が確立せずに、灰色の学生生活を送った。四月になって、希望に胸をふくらませて、大学に入ってきても、大学の先生は、何も教えてくれないのである。但し、左派系の先生は断片的には教えるが、筆者は、大学院へ進学して（露文専攻）、指導教授の学術紀要などを参考にして、修士論文を書き上げて、文学についての、自分なりの見識、見解をもったものである。

以上の問題意識から、筆者は、二〇一四年に、『文学の学び方』（第一部、文学研究の方法論〈技法〉、第二部、個別作家篇）（文藝書房出版）を刊行した。本書は『文学の学び方』の姉妹篇である。（尚、同書は同年十一月に、日本図書館協会選定図書に選ばれている。ドストエフスキーの方法論を基軸にして）

依って、本書は、卒業論文、修士論文を書く人に、薦めたいし、高校卒業程度の学力がある人にも、充分、理解出来るものとなっており、かつて大学で文学を専攻されて、モノにならなかった方や、社会一般の人に読んでもらいたいと想っている。

文学を志す人は、初めの内は、何をどうやって良いのか、途方に暮れるのである。そこで筆者は薦めたい。即ち論理（科学）性のある個人全集を選び、研究されんことを願う次第である。個人全集は対比的に二等分される。

ドストエフスキーを制する者は、文学を制する。このモットーを基にして本書は書かれた。筆者が、今日、近代日本文学関係の著書を発表できるのも、皆、ドストエフスキーのお蔭である。

筆者が、大学院時代、ドストエフスキーの修士論文で獲得した知的財産がベースとなって、つまり、その方法論の類推に依って、プーシキン、ゴーゴリ、レールモントフ、チェーホフ、ゴーリキイの各文学者（特に、ゴーゴリ、チェーホフは、その作家論の方法論に依る、創作源泉をプーシキンから得ていたことは特記せねばならぬが）及び近代日本に於ける作家たち（太宰治、萩原朔太郎、芥川龍之介、葛西善蔵、梶井基次郎、室生犀星は、その作家論の方法論に依る、創作源泉を直接、ドストエフスキーから得ていたとは、興味ある事実である）の文学の本質を、会得出来たと言える。

芥川もロシア文学の近代日本文学に与えた影響の大であることを語っている。尚、ドストエフスキー文学の方法論のルーツを辿れば、プーシキンにそれは求められるが、近代日本の作家たちは、ドストエフスキーを始め、その他のロシア文学の作家たちから、方法論上の影響を多く得ている。志賀はチェーホフ、ゴーリキイから、梶井は、文学の内容的にはゲーテ（仮説）から、形式的（方法論上）にはドストエフスキー（ゴーリキイからも）から。筆者は、三十年前に、チェーホフ、志賀の価値を知識人から封印されて、作家論に向かわされなかった経験を持つ。大学の左派系の教員からも、彼が真の民衆の友でないから、筆者は太宰治の作家論の構築を三十年間、封印された経験を持つ。

本書の第一章で、方法論の端緒となる大御所ルソーに登場してもらった。第三章でドストエフスキーの方法論の秘密を体全体で感得すべく、彼の前期の創作系譜を講じた。

高校時代のS先生の言葉即ち「文学が解ると、全て（みんな）良くなる」「文学（本）は賢くなるためにあるのだ」や大学の卒論時の高田先生の言葉即ち、「文学が解るのは人間が解ることだ」も想起されよう。

本書を読んで、一人でも多くの方が、文学研究の方法論が解り、文学研究のコツを掴（つか）まれることを願う。文化の享受のみならず、教養の担い手として、読者に期待している点に本書の新しさがある。このことで、人生での生きる証（し）を得て、精神的な意味で、人生の勝利者になられんことを切に祈る次第である。

カバーデザイン　東　沢男

目次

文学マスター法

第一章　ルソー・透谷の方法論の端緒の意義

拙著『文学の学び方』で、個人全集における創作の系譜の特徴付けの方法として、後半分と前半分を分けることであった。その際、前半と後半とは反対概念である場合が多い。夢想家と現実、ロマンチシズムとリアリズム、動と静、闇の世界と光明的なものなど。

この前半、後半という特徴付けのルーツの端緒は、実は、十八世紀の思想家ルソーに求められる。この反対（対立）概念を把握、意識化、マスターすることで、インテリ（研究者）の道へ足を踏み込んだことになり、一人前の思想的文学的精神世界の住人としての仲間入りの入場券を得、そのことで、一人前の人間（氏）としての権利獲得を果たすことになることを銘記したい。対立概念と全集内の創作系譜への適用。

世間では、インテリの親の子に対する方法論の伝授の現象顕著。親が子に直接教えるのであって、大学の教官は絶対に学生に方法論を教えない。但し、左派系の教官は断片的には教えるが。

それゆえ、学生は独力で文学の方法論（からくり、学び方）を修得しなければならない。

ヘッセは『ガラス玉遊戯』で、「私たちの使命は対立するものを正しく認識し、即ち対立をまず対立として、次には統一の両極として認識することだ」（「召命」）（ノーベル文学賞受賞作）と語る。

さらにヘッセは「人間の知識、精神的所有（高貴で、威厳と永遠性をもって）は、人間生活の無常と対立し、私たちを支配・指導（生活の精神化）していた」（同掲書所収「雨ごい師」）と語る。

右派系の家系は、文学の方法論の伝授に依り、保守的立場を、左派系の家系は革新的立場をその見返りとして、子に要求するのである。

依って、インテリの家という出身以外に生まれたら、文化の恩恵に浴さぬと言える。文化（文学の方法論）の伝承は、極めて閉鎖的と言える。

日本でも、明治時代に、透谷が「心機妙変を論ず」という論文を書いている（闇と光、善と悪参照）。さらに「一夕観」（明治二十六年）で、「夢想家と現実」が示された。つまり、「人間の歴史は多くの夢想家を載せたりと雖（いえど）も、天涯の歴史は太初より今日に至るまで、大なる現実として残れり」（傍点筆者）であり、この点、ドストエフスキー文学の方法論（夢想家と現実）との類推を想起させるが、確かに、透谷は「罪と罰」「『罪と罰』の殺人罪」という評論を書いているが、『罪と罰』の抄訳（内田魯庵訳）のみを扱い、ドストエフスキー全体を研究したものでないから、その意味で、ドストエフスキーの方法論からの踏襲とは言い難い。

むしろ、透谷が「『マンフレッド』及び『フォースト』」（明治二十三・四年ごろ稿）を書いているので、「心機妙変を論ず」での「闇と光」との考察から、即ちゲーテから、方法論の端緒を得ていたのではないかと推察される。

先ほど、個人全体に於いて、創作系譜が二分されていると指摘したが、『文学の学び方』の中で、「実は、個人全集、作家の創作系譜を貫く、普遍的原理、即ち哲学が明らかにされないと、文学研究は息詰まってしまうのである」そういう観点から、ドストエフスキー、太宰治、志賀直哉、谷崎潤一郎などの創作系譜を貫く、抽象的命題（二分される）を、本書第二章（「文学の科学性について」）に於いて、明示するつもりである。

依って、小説の非科学的信仰観を打破すべく、抽象的命題（対比的に）を解説するつもりである。これだけでも、読者に対する、筆者の大サービスであると言えるが、これをもってしても、まだ霧が晴れない読者がいるかも知れない。そこで出血サービスであるが、さらに、小林秀雄氏も『私小説論』の冒頭で引用したルソーの『告白』『孤独な散歩者の夢想』に於ける「社会と自然」「個人と社会」の関係を紹介したい。

それに関して、平野謙氏が『昭和文学の可能性』で、小林秀雄氏の『私小説論』の所説の要旨を開陳しているので示そう。それに依ると、「ルソーがはじめて、個人と社会の確然たる対決という熱烈な思想を通じて、浪漫主義文学運動の先端を切るものとして生まれた私小説が……」と、ルソーの意義を強調としている。

追研すると、この浪漫主義文学運動は、ゾラを中心とする、十九世紀自然主義（「他」を描くことのなかに「自」を生かす）へと同質的展開を果たした。

次に、芥川龍之介は、『彼　第二』で、「ロマン主義者、現実主義者、共産主義者」という文句で、ドストエフスキー文学との同質性（方法論の把握）を示しているが如く、芥川が、作家論の方法論に依る創作源泉をドストエフスキーから得ていたとは興味ある事実である。

その芥川が、実は、ドストエフスキー文学の把握の論理的前提として、始祖ルソーから方法論の端緒を得ていたと思われる節（ふし）がある。即ち「『私』小説論小見」（大正十四年）で、ルソーの『懺悔録（ざんげろく）（告白）』を再三、引いている点に注目したい。「私」小説の一つの自叙伝の指摘。

その他、島崎藤村など、日本に於ける近代文学の成立にルソーの『告白』の影響はみられるとの指摘（原好男の）もある。広津和郎の『狂った季節』（第十七節）にも、ルソーの『懺悔録』の記述が見える。

芥川は同論文で、「久米君によれば、『私』小説とは西洋人のイッヒ・ロマンと言うのではない。二人称でも三人称でも作家自身の実生活を描いた……」とは、西洋の私小説が個人と社会の対決をテコとして展開したのに対して、日本のそれは、「私」と社会の一体感を念頭に置いていると言わねばならぬ。

話を元に戻そう。特にルソーの両者の作品で、抽象的命題（散文に於ける）となって、曖昧模糊とした文学（二分される個人全集）に立ち向かうと、「目から鱗（うろこ）」となって読者を納得させるであろう。ここに、科学的作家論の試みへのアプローチの一助となることが解るであろう。（方法論の端緒として）

ちなみに、『孤独な散歩者の夢』での、キー・ワードは、「個人と集団」（第一章）、「夢想家と現実」（第五章）であることを指摘したい。これを意識化すれば、人生の精神的な意味での勝利者となれることを保証する。

尚、最近の筆者の研究に依ると、ルソー、透谷（ゲーテやヘッセも可）に加えて、ヘーゲルも、作家論の構築に際して、その方法論の端緒に鑑みて、有効なアプローチを発揮することが判明した。

　彼の著書、即ち『精神現象学』の「まえがき」と「B自己意識、支配と隷属」に於ける陳述を紹介すると、前者では、「最初にくる知、素朴な精神、精神なき感覚的意識」から、「本来の知、純粋な概念の世界である学問の場」への転換であり、及び「無教養の段階の個人から出発してこれを知へと導く」であり、後者では、「主人と奴隷」の関係であり、奴隷は「自主性のない非本質的な行為者なのであり」主人は「自主自立の本質にかなった存在である」を引くことが出来よう。

　文学研究、特に作家論作成に際しては、初めの内は、途方に暮れるのであり、何をどうやって良いのか解らぬものである。

　そこで提言したい。二、三年は、下積みをしなければならない。先ず素読みし、第二年目は、我（自己）流で良いから、その作家の個人全集を使用して、書き撲る(なぐ)ことであり、第三年目は専門家の指示（ヒント）を参考にして、つまり、全集の創作系譜は、二分され（方法論の端緒）（対立概念）ることに留意しつつ、文学史や本書の第二章「作家論に於ける科学性」及び付録「作家論研究一望」で得られた、予備知識を参考にして、目星をつけて全集に取り組めば、必ずや、作家論はモノになると言えよう。

　さらに、大胆な提案であるが、大学を一年間、休学し（一年で一生の精神生活が救われるものなら安いものである）、コツコツと論文作成に係わり、自分なりの、文学の見識、見解を持ち、活字にしても良いぐらいの意識を持ちたいものである。以後は、方法論の類推に依り研究活動へ。

学問で成功し、一生の精神生活の構築を獲得した事例を、二、三紹介して置こう。

高校時代のS先生は、四年間は自治会で忙しく、その間、単位を全部取り、二十五歳で大学を卒業された。大学のある先生は「私は、語学や体育の授業に出た切りである」と語っておられた。

その他、「知識は力なり」という金言や学校の先生の言葉、即ち「勉強するんだぞ」も掛け声としては、立派であり尊くもあるが、本当は、「空言」としか、響かないであろう。

学問、特に文学の場合、その楔となるべく知識を身につける、即ちマスターするのには、方法論（からくり）の行使の必要性が絶対、不可欠なものとなって来る。

先ず個人全集を購入し、その創作系譜が二分されるという見通しを持ちつつ、対立概念の把握と個人全集への適用が大事であるという目算を立てることが必須条件になって来る。

例えば、「夢想家から現実へ」「ロマンチシズムからリアリズムへ」「動よりも静を」

などという対立概念で、個人全集を捉えることが肝要となって来る。その際、位相、転換点の把握の必要性。

その把握で、初めて知識がつかまえられる点に留意しつつ、その意味で、作家論の構築（第二弾の構築で、確信に至る）で、初めて「知識は力なり」という言葉も実効性を持つ。

（尚、学問の方法論の始祖ルソーを挙げたが、実は彼よりも早く、方法論の端緒（作家論における）を世に示した作家に、イギリスのシェイクスピアがいるが、これについては、後述（第四章及び付録「作家論研究一望」）したい）

第二章　文学の科学性について

その一　作品論に於ける科学性

以下、小説の非科学的信仰観に抗して述べて見たい。抽象的一般命題と具体的作品の相互規定の妙を、以下、御覧じあれ。

繰り返しになるが、文学は、決して曖昧模糊としたものでなく、立派な科学と言える。

このことを、次に芥川龍之介、夏目漱石、太宰治、志賀直哉、谷崎潤一郎、ドストエフスキーの作品に見て行こう。

〔『羅生門』〕（形而下の世界）　芥川の王朝説話の『羅生門』は、「今昔物語」にその題材を採った作品で、下人は飢死（うえじに）をするか盗人になるか迷う。つまり、手段を選んでいれば、餓死するばかりである。手段を選ばないとすれば盗人になる他ない。悪をにくむ気持ちはあったが、髪を抜かれた女の生前の仕事（蛇を干魚と偽って商売する）、死人の髪を抜いて鬘にする老婆の仕事、老婆の着物を剥ぎとって下る下人。いずれも飢死せぬためにである（形而下の世界が明示される）。

〔『奉教人の死』〕（無私の愛――関口安義氏の説） 芥川の『奉教人の死』は、二重の意味で後世の人々への教訓、感動を与える。一つは、背徳的な罪を背負わされた主人公が、迫害にめげず、キリストの信仰心を最後まで捨てなかった点である。二つ目は、背徳的な罪を背負いつつ、最後に主人公が女であることが解り、作者も、「されば『ろおれんぞ』の一生を知るものではござるまいか」と結ぶ。

〔『枯野抄』〕（解放の喜び） 芥川龍之介の歴史小説である、『枯野抄』では、俳諧の大宗匠松尾芭蕉の臨終の模様が描かれる。

去来の後の席に、黙然と頭を垂れていた、老禅客の丈艸は、芭蕉の呼吸のかすかなるのに従って、限りない「悲しみ」と「安らかな心もち」とが、彼に心の中へ流れ込んで来るのを感じ出した。

丈艸のこの安らかな心もちとは、「久しく芭蕉の人物的圧力の桎梏に、空しく屈していた彼の自由な精神が、その本来の力を以て、漸く手足を伸ばそうとする、解放の喜びだったのである（恍惚たる悲しい喜びの中に）。これも、「戯作三昧」で示された、「不可思議な悦び」であろう。（傍点筆者）

次に、以下の小論考は、芥川の小説の構成（構造）における、彼の創造（作）の秘密を説き明かさんとするものである。それはまた、新理智主義の解明でもある。

結論を言って、芥川は小説展開の論理を、キー・ワードを対比的に取り扱って、小説を書いた。それは、作品論に於ける科学性でもある。

先ず、『おぎん』《大正十一年》では、天主のおん教から、悪魔（の世界）へという構図を取り、信仰心よりも、両親への情愛の優越が描出され、最後のところで「悪魔はその時大歓喜のあまり、夜中刑場に飛んでいたと言う」と、おん教をおぎんが捨てることにしたことへの、悪魔の勝利が謳歌されている。

そもそも、このキー・ワードの対比（主題の暗示）という構図は、初期の『蜘蛛の糸』《大正七年》に於いても採られている。

そこでは、地獄から極楽へ。極楽の道から、地獄へと変化する構図が読み取れる。鸛陀多が、生前、一匹の蜘蛛を助けたという唯一の善事を、御釈迦様は思い出し、彼を地獄から極楽へ脱出させるべく、「美しい銀色の糸」を地獄の底へ、御下しになったが、彼は、自分だけが助かりたいという気持ちから、仲間に「下りろ」と言うや否や、糸はぷつりと断れて、彼は「暗の底」へ、まっさかさまに落ちてしまう。

最後に、『将軍』《大正十一年》で、ここでは詩的正義（芸術的表現）の独自性は触れぬが、N将軍の戦場での残虐性と、日常での善良性を対照的に描くことで、戦争が人間に齎す狂気を鮮明に描いた反戦小説という、関口安義氏の指摘（『芥川龍之介新論』）がある（傍点筆者）。

芥川の学問に対する厳しさは、次の点に、即ち「数学の出来ない中学生は、到底一人前の文藝家にならざることを覚悟せよ」（「文藝家たらんとする諸君に与ふ」）《大正八年三月》と芥川は語っていることも指摘出来よう。萩原朔太郎は「芥川は秀れた知性者か中学生程度の頭脳の持ち主」という山岸外史の批評を紹介している（「芥川龍之介の小断想」）。結局、芥川文学は、決して高級文学ではないことを、筆者は敢えて言いたい。芥川が詩的精神を唱え、芸術派の典型と目された点はあるが。

〔『こゝろ』〕（恋愛と人間性）漱石の場合、『こゝろ』で、「私はKに『精神的に向上心のないものは馬鹿だ』と言い放った」という抽象的命題に、私（先生）はKの恋の行く手を塞いだことへの間接的前提となっている点が、想起される。

そして、『おれは策略で勝っても人間としては負けたのだ』という文句は、恋愛の影を浮き立たせる抽象的命題になっていることが解る。

漱石の場合、恋愛に於いて、人間性が発揮されない。即ち、恋愛の影が、『こゝろ』の作品に於いて、浮かび上がって来ると言えよう。

〔『走れメロス』〕（精神的同一性）（友情と恋愛）　太宰の作。メロスは激怒した。邪智暴虐の王を除かなければならぬと決意した。

王城に入ったメロスは、警吏に捕縛され、死刑の宣告を受けるが、一人の妹に、亭主を持たせてやりたいから、処刑までに三日間の猶予を与えて欲しいと王に頼む。その代わり、竹馬の友セリヌンテイウスを人質として置くから、三日目の日暮れまで戻って来なかったら、この友人を絞め殺して下さいとメロスは願い出る。

王の許可を得て、メロスは妹の結婚式を村でとり行い、身支度をして、友の待つ市（王城）へと走るのであった。

王城へ戻る途中、メロスは、「友と友の間の信実は、この世で一番誇るべき宝なんだからな」と思いつつも、王の言うままに後れて行き、王は彼を笑い、事もなく放免するだろう。「そうなったら、私は、死ぬよりつらい、私は、永遠の裏切り者だ」と思いつつも、「正義だの、信実だの、愛だの、考えてみればくだらない。人を殺して自分が生きる。それが人間世界の定法ではなかったか。ああ、何もかもばかばかしい」とまどろむ場面がある。

後にメロスは、この場面を回想して、「セリヌンテイウスよ」とメロスは眼に涙を浮かべて言った。「私を殴れ、私は途中で一度、悪い夢を見た。君がもし私を殴ってくれなかったら、私は君と抱擁する資格さえないのだ」と語る。

一方、友セリヌンテイウスも、「メロス、私を殴れ。私はこの三日の間、たった一度だけ、ちらと君を疑った。生まれてはじめて君を疑った。君が私を殴ってくれなければ、私は君と抱擁できない」と語って、二人同時に言い、ひしと抱き合って、嬉し泣きにおいおい声を放って泣いた。理想主義者の勝利と言える。

これを見ていた王は、「おまえらは、わしの心に勝ったのだ」と言ったことを付言して置きたい。二人はリアリスト暴君に勝ったのだ。「悪夢」を見たことと、相手を「疑った」ことへの反省において、対人関係に於ける「精神的同一性」の価値観が、浮かび上がって来る。真の友情は人間関係における精神的同一性までと敷衍する。

次に、『走れメロス』の暴君は、人間心理の利己的奥底を見抜くリアリストであるが、このことは、後の「友情を一度も実感したことがない」（『人間失格』）や「こわいんだ。僕は、助けてくれ！ と、妻の蒲団にもぐりこむ大谷」（『ヴィヨンの妻』）への太宰治論の展開に於いて把握さるべきである。崇高な友情の御(み)旗を理想として掲げつつも、現実には、女性との愛に活路を見出した太宰。男の友情に代わる、女性との愛に普遍性を見出した。それゆえ、意義と限界がある。女性しか信用出来なかった太宰治。以上、友情と恋愛。
〔『城の崎にて』〕（静――静かな調和の位相として）　志賀直哉の場合、彼の文学は普通、「動よりも静（静かな調和）を」というキャッチ・コピーで形容され、取り上げられる（「座右宝序」参照）。

その観点から、中期の転換点（ターニング・ポイント）を飾る、『城の崎にて』の作品論の取り組み方について、一言して置きたい。

この小説は、生命観（電車にひかれて、命乞いの喜び）と「静かな調和」（蜂の死について、「如何にも静かな感じを与えた。淋しかった」）の鼠（ねずみ）の死について、「死後の静寂に親しみを持つにしろ、死に到達するまでのああいう動騒（鼠が殺されまいと死ぬに極まった運命を擔（にな）ひながら、全力を尽くして逃げ廻っている様子）は恐ろしいと思った」が描かれ、最後の所で、死ななかった彼は歩いて次のような感慨を抱く。「然し実際喜びの感じは湧き上がっては来なかった。生きていることと死んでしまっていることと、それは両極ではなかった」と。つまり、死に象徴される静寂さと同じレベルに生を捉え、「静かな調和」たる生を標榜している。この作品論で、前期から中期への転換点、即ち「動よりも静（静かな調和）を」という知識があればその前提に立って、曖昧模糊としている作品『城の崎にて』の位置付けと共に、作品論の定着化（解釈）という作業が完了し、その時点で、文学が解ったことになる。

〔『痴人の愛』〕（西洋的な美の位相として）　谷崎潤一郎の転換点の一を成す中期の名作『痴人の愛』で、退廃（浮気と我が儘）的なオナミ、というよりも西洋人との英会話の上達に依り、（西洋的）美と享楽の人と取り（指摘し）たい。（主人公は彼女に惚れている、つまり恋愛小説）（悪魔主義）

〔『白痴』〕（抽象的命題）、〔『大審問官伝説』〕（「手帖」）最後に、ドストエフスキーの作品に於ける科学性について言及したい。

先ず、『白痴』だが、公爵は、スイスでの体験談「牢獄の中の偉大な生活発見（空想生活――大きな町、ナポリ（宮殿、轟音、生命の）を想像したと」及び「ここで、我々が生活しているより千倍も強健で、にぎやかな新しい生活が発見できるのだ」（傍点筆者）と生活への憧憬、渇望を述懐している。

さらに、公爵は、スイス時代を回想して、地平線に対する感慨として、「千年の間、考え通すにも十分な一つのこと」（第三編二章）と述べるが、このことと、イッポリートの書いた「この蝿すら、宇宙のコーラスの一員として、自分のいるべき場所を心得ているのに、僕ひとときりのけ者である」という一句は、ムイシュキン公爵の人生観、即ち、「永遠の生滅としての世界」「真摯な生活者の姿勢」という作品上の具体味を、浮き立たせる抽象的命題となり得ているのである。

次に、『カラマーゾフの兄弟』では、ドストエフスキーは「手帖」で、『大審問官（それに先行する章と）』に対する答が、あの長編全体であると語っている（傍点筆者）。『カラマーゾフの兄弟』では、イヴァンの無神論が白手（落魄した地主階級）の悪魔によって、動揺させられ、小説全体において、対スメルジャコフ関係の伏線となっている。

『白痴』や『（「手帖」と）大審問官』では、それぞれ、「偉大な生活」「千年の間」が、後者では、抽象・具体の開陳（展開）が見られる。

その二　作家論に於ける科学性

文学の科学性を、今まで作品論に於ける科学性について見て来た訳であるが、次に作家論の科学性について触れたい。作家の創作系譜を貫く哲学が明らかにされないと、文学研究は行き詰まってしまう。

ドストエフスキーのみならず、他の五人（太宰治、志賀直哉、谷崎潤一郎、芥川龍之介、萩原朔太郎）の全集における、一文に位相（哲学）及び転換点の明示が、表明されているので、ここに記したい。転換点を知ることは、作家論の骨格を構築する上で、有効な手掛かりとなる。

先ず、ドストエフスキーでは、「紛れもない悪党が、潔白な魂を持ち得、我がロマン派の中からは、絶えず、腕ききの悪玉が出て、驚くべき現実に対する敏感さを示す」（『地下生活者の手記』）（傍点筆者）であり、この箇所が『地下生活者の手記』の集大成的性格における、夢想家の地下世界から、現実の活動の舞台への移行の担い手を悪玉としているように読み取れる点が、興味を引く。（前期から後期の『罪と罰』への転換、移行）

次に、太宰治だが、「僕は、兄さんと、もうはっきり違った世界に住んでいることを自覚した。僕は日焼けした生活人だ。ロマンチシズムは、もう無いのだ。筋張った、意地悪のリアリストだ。変わったなあ」（傍点筆者）（『正義と微笑』）であり、ここに、ロマンチストと決別し、自分でかせぐ、即ち、経済的に自立した、生活人としてのリアリストが誕生した訳である（前期から後期への転換）。

太宰は、ドストエフスキー（プーシキンも可）から、作家論の方法論に依る創作源泉を得ていた。小説『フォスフォレッスセンス』（昭和二十二年）での「夢想家」と「現実家」の対比参照。

志賀直哉の場合、「自然の要求として私は動よりも静を希い、以前は余り顧みることのなかった東洋風の事物に心が向いて来た」（「座右宝序」）（傍点筆者）であり、人生における戦いにではなく、静かな調和に喜びを見出そうとする直哉の態度はこの一文の中に語られ、「動よりも静を」――前期から中期への移り行きは、この短いことばに要約されると。

『暗夜行路』で、兄信行が、謙作の出生の秘密を打ち明けてくれたことに対して、謙作は感謝し、唯一の血路(「僕は知ったが為に一層仕事に対する執着を強くすることが出来ます」)と其此に頼って打克つより仕方がない、それが一挙両得の道であると語る。

この仕事への執着は後に、「人類全体の幸福につながりのある仕事」と語る。この「血路」から、「全く別の世界」(静かな調和)――「然しあの女が若し罪深い女……どんなにいいか。互いに惨めな人間として薄暗い中に謙遜な心持ちで静かに一生を送る。笑ふ奴、憐れむ奴、などがあるにしても、自分たちは最初からさういふ人々には知られない場所に隠れているのだ。彼らは笑ふことも憐れむことも出来ない。……自分たちは誰にも知られずに一生を終わって了ふ。如何にいいか――」への移行を唱えるのであった。

「唯一の血路」から、「平安の一生」(調和の世界)へという移り行き(構図)は、実は志賀文学の創作系譜における、前期から中期への移行の縮図であり、その問題意識は『暗夜行路』前編に凝縮されている。志賀は、チェーホフ(『六号室』)、ゴーリキイ(『ゴルデーエフ』)の影響を強く受けた。

谷崎潤一郎の場合は、「私はかくの如き魅力を持つ支那趣味に対して、あこがれを感ずるとともに、一種の恐れを抱いている。なぜなら、私の場合には、その魅力は私の芸術上の勇猛心を消磨させ、創作的熱情を麻痺させるような気がするから。（中略）支那伝来の思想や芸術の真髄は、静的であって動的でない。それが私には善くないことのように思える」（「支那趣味ということ」）であり、潤一郎の「芸術上の勇猛心」が静的でなく動的なものを求める心であり、東洋的なものでなく西洋的なものを求める心（初期から中期へ）であることが、ここにはっきり見られると。

芥川龍之介の場合（中期リアリズムから「本」の世界へ）は、実は、『彼　第二』（昭和二年）で、主人公は「僕はそんなに単純じゃない。独身者、詩人、アイルランド人。……気質上のロマン主義者、人生観上の現実主義者、政治上の共産主義者……」と語っているが、これは、まさしくドストエフスキー及び彼の創作系譜上の方法論を念頭に置いて、芥川が語っていないか。〔芥川文学の転換点（本の世界）は『大導寺信輔の半生』である〕

ドストエフスキーの初期・中期の世界。空想家のタイプ、空想主義。ラスコーリニコフの殺人は、『地下生活者の手記』で開陳された、「我がロマン派から腕利きの悪玉が出て、現実に対する敏感さを示す」へと煮つめられる。（ドストエフスキーと芥川の方法論上の一致）

『作家の日記』では、作者は西欧派の「革命理論」の機械的適応を斥け、正教にそれを見ていた。(この世界観が「政治上の共産主義者」に対応)

芥川はドストエフスキーから、作家論の方法論に依る創作源泉(技術)を得ていたと言える。

以上、作家論の科学性(位相、転換点)であるが、最後に、ドストエフスキーを藝術上の師とみなした萩原朔太郎の、「浪漫主義」から「リアリズム」への転換点(『虚妄の正義』所収「文学の本質問題」)を挙げることが出来る。萩原の転換点は、『氷島』である。

その他、正宗白鳥の場合、彼の文学が「不安の文学」という予備知識(位相)があれば、白鳥の文学も可能である。彼の文学説として、「不安の文学」(昭和八年)や「文壇的自叙伝」(昭和十三年)や「人生五十」(大正十二年)など参照。

第三章　ドストエフスキーの前期の系譜全容

――方法論獲得への実例――

第一節　序

　後期の開始を告げる、『罪と罰』（一八六五年）が世に出るまでには、処女作『貧しき人々』（一八四五年）から、二十年の歳月がたっているのであり、一朝一夕で、『罪と罰』が出来上がったものでないことを、先ず銘記すべきである。

　前期（初期・中期）の期間には、ペトラシェーフスキイ事件という中断をはさみながら、ドストエフスキー文学は形成されて行った。

　ちなみに、我が国で、『ドストエフスキー全集』の第一回配本の際、『罪と罰』が定番であるのは、実際、おかしいと思う。

『罪と罰』は、初期、中期の創作系譜から、それの転換点として導き出されるべきものと考えられる。その意味で、第一回配本は、『白夜』（空想家のタイプ披瀝）（一八四八年）が望ましいと思う。いきなり『罪と罰』では、読者には半分しか理解不可能。

ドストエフスキーは、その作家論の方法論に依る、創作源泉をプーシキン（『エヴゲーニイ・オネーギン』を念頭か）から得ていたとは、興味ある事実である（『作家の日記』（八〇年）――「プーシキン論」参照）。

ドストエフスキー文学は、ソビエト文学（例えば、象徴派（シンボリズム））や近代日本文学の作家（太宰、芥川、漱石、梶井など）に大きな影響を与えた。（但し、漱石の場合、世界観の影響を）

ドストエフスキー文学の方法論をマスターすることは、我々の精神生活の確立という観点からも重要である。

その意味で、ドストエフスキーの前期の創作系譜を、本章の第一節（夢想家と現実）、第三節（弱者破滅の系譜）、第四節（前期から『罪と罰』へ）に於いて、論証（検討）することは、有効性がある。

その際、一言、言って置きたいことは、前期そのものの考察を通じて、必ずや、ドストエフスキーの方法論（引いては文学それ自体の方法論）を体得するに資すると請けあうことである。従来、ドストエフスキーの作家論を直接に、構築することは無謀とされて来た。

第二節　夢想家と現実

ドストエフスキーが、ペトラシェーフスキイ事件に連座するまでの創作の系譜は、普通空想主義の時代と言われている。それは、小説の主人公に巣食う性格や言動が、空想的観念的性格を帯びているからである。

『白夜』（一八四八年）において、空想家のタイプが示される。空想家は人間じゃなくて、一種中性の存在で、太陽の光線さえ恐れるように身を潜めて、いったん自分の中へ入り込んだら、蝸牛みたいにその隅っこに生えついてしまう。この点からいうと、亀に似ている。

さらに主人公は、空想家の否定面も語る。この生活は何かしら極端に幻想的なものと、熱烈な理想主義なものと、色褪せた散文的な日常茶飯事的なものとの混合であると。

ここで、空想家の現実への処し方が問題になる。主人公は語る。即ち「彼にとっては我我の現実世界なぞ何の価値もないのです！」と。さらに空想家は語る。即ち「自分は本当の現実的なものに処するこつというか、直覚というか――を失い尽くしたような気がするんです。……そういった幻想的な夜な夜なを過ごした後で、今度は覚醒の時がやって来るのですが、それが実に恐ろしいんでしてね」と。

小説は、ナスチェンカの恋人が一年後に戻って来るという日に、現われず、主人公が愛の告白をして、彼女もその気になるが、ナスチェンカの恋人が現われて、主人公の手を振りほどいて、彼の方へ飛んで行って、主人公の空想家は、亀の如く自分の部屋に舞い戻って、以前の生活を続けるのである。

そもそも、処女作『貧しき人々』（一八四五年）において、ヴァルヴァーラは、黄金時代ともいうべき少女時代をジェーヴシキンに語る（九月三日付手紙）。追憶の後、必ず、「苦しくなったり」「衰弱を覚え」空想好きの傾向が自分の根を疲らせますと、彼女は語っている。

ヴァルヴァーラは、フェドーラから家庭教師の口を世話してもらうことについて、次のように語る。即ち、「いい口らしいが、知らない家へ入って行くのは、そら恐ろしい気もする。住み慣れた隅っこにいつまでも、じっと落ちついているのが好きなんですの」（六月二十七日付手紙）と。

空想家ヴァルヴァーラの現実に対する不安感を露呈する。

次作『分身』（一八四六年）では、主人公ゴリャードキンは、医師クレスチヤンから、「あなたは全生活を根本的に改革して、自分の性格を叩き直さなくちゃなりませんよ。賑やかな生活を避けちゃいけません」と言われたのに対して、ゴリャードキンは、自分は静かなのが好きである。つまり、静寂を愛し、俗世間の騒々しさが嫌いと答える。さらに、社交界は苦手であるし、地口や洒落も、気のきいたお世辞も言えないと答える。

つまり、ゴリャードキンは一種の空想家であると言える。

さらに医師クレスチヤンは、ゴリャードキンには、気晴らしとか、友達や知人を訪問することが必要であるし、酒も毛嫌いしないようにして、賑やかな仲間に入って遊ぶことも重要であると指摘することによって、ゴリャードキンの現実への不安感も、明らかになる。

『プロハルチン氏』（一八四六年）では、作者はプロハルチン氏の特質を語る。わが主人公は非社交的ないたっておとなしい男で、今度の下宿の仲間に入るまで、他人のうかがいを知るを許さない完全な孤独の中に暮らして、珍しく静かな、というより、何か神秘的なところさえあった。

つまりベスキー時代は、十五年間、衝立の陰にねて暮らし、こういう族長的静寂の中に、幸福な混沌たる日が一こまずつ過ぎていった。

この引用箇所は、プロハルチン氏が、課長のデミード・ヴァシーリチを驚かせて、下宿や役所から失踪したことの後に、作者が、「プロハルチン氏の運命を、いきなり現実ばなれのした傾向ということで説明しようとは思わないが」と断って、夢想家プロハルチン氏を紹介している点に注目したい。

プロハルチン氏が、失踪、帰宿して夢を見る。即ち「ついにプロハルチン氏は、だんだん恐怖におそわれてくるのを感じた。彼は激昂しきった群衆が、錦蛇のように彼にからみついて、押しつけ搾めつけるような気がした」と。

ここにおいて、夢想家プロハルチン氏の現実への不安感が読み取れるであろう。但し、『分身』のゴリャードキン氏が、敵の存在に気がつかなかったのに対し、我がプロハルチン氏は、敵（現実）の存在に気がついていたことは、特記せねばならないであろうが、それは、次節の課題となる。

ドストエフスキーは一八四七年に『主婦』を書いた。

主人公オルディノフは、いつも静かな、完全に孤立した生活を送っていた。彼は修道院へでも閉じこもったように、世間から自分を切り離してしまった。彼は唖のごとく黙した曠野から、騒がしい市街へ出て来た隠者のごとく、孤独の行者のごとく、街々を彷徨っていた。オルディノフは、空想家である。

夢想家オルディノフは、現実に不適応を示す。即ち「現実は早くも彼を圧倒し、何かしら尊敬の恐怖ともいうべきものとなって、彼の前に立ちはだかった」と。さらに、自分に衝撃を与え、自分を震撼させるおそれのある一切のものから、のがれなければならぬという気持ちがあった。

オルディノフは、カチェリーナとムーリンとの三角関係を打破すべく、古刀を振りかざすが、ムーリンの悪魔の哄笑によって、刀は手から抜け落ちて、現実打開の道は閉ざされる。

結局、オルディノフは、前にもまして人間嫌いになって行った。そして、以前の空想家の位置に舞い戻って行った。

ドストエフスキーは、一八四八年に、『弱い心』を発表する。

主人公ヴァーシャについて、友人アルカージイは語る。即ち「君は実に善良な優しい男だが、どうも弱過ぎるよ。おまけにきみは空想家だろう。それもやはり感心しないぜ」と。

アルカージイは、幸福のあまりにヴァーシャの頭がでんぐり返っていると言う。ヴァーシャは語る。即ち「ぼくの心臓は傷み通して……未知の運命に……悩まされていたもんだから……筆写なんかやっていられなかったのさ」と。この未知の運命を敷衍すると、外的対象（現実）への不適応ということになる。後にヴァーシャは、「自分というものへの無理解」「他人というものへの無理解」「他人への評価の不能」を語っている。

ドストエフスキーは一八四九年に、『ネートチカ・ネズヴァーノヴァ』を書く。

ネートチカは小さい時から、自分の豊かな幻想の手綱を放し、こしらえごとと現実とごっちゃにする空想家であったが、後に、公爵家に引き取られ、罰（カーチャの身代わりとして）を受けた時、公爵から、「あれ（ネートチカ）は病身な弱い子供で、空想癖のある、おびえやすい幻想に悩まされてる娘です」と、今回の監禁について、同情を受ける。

ネートチカは、後にアレクサンドラに養われた時、満十三になって、丸三年間、読書の生活によって幻想の世界、空想の世界で満足し、空想の生活、自分を取り巻く一切のものから完全に孤立した生活を続けたのであった。

ネートチカは、ある日、アレクサンドラ宛に書かれた手紙（恋文）を、図書室の本の中に発見して、アレクサンドラの夫ピョートルに渡す羽目になる。これこそ、アレクサンドラを破滅に導く行為であるし、空想家のヒロイックな安易な行動であることは、言うに及ばないであろう。

その他、作者はネートチカの母について言及する。即ち「正真正銘の空想家の常として、母は厳しい現実の第一歩さえ持ち切れなかったのです。癇がつよく、怒りっぽくなり、口汚くののしるようになって、のべつ夫と争ってばかりいました」と。

『ペテルブルグ年代記』（一八四七年）では、初期の創作の総括とも言うべき骨格が示されている。

先ず、ペテルブルグ全体がサークルの集合体であることが示され、その特質として、まだ多少社会生活を恐れて、わが家に引っ込みたがる、ロシア国民的性格の所産であることが提示される。そして、この性格は、ただ淋しい片隅の孤独の中で、何よりも一番、サークルの中で産出されると言う。

自分自身の幻想・空想を、なんとかして充たそうとして用いている一切の補助的手段を病的に恐れている有様だから、どうして力尽きて倒れずに入られよう。行動に対する渇望は我々の間で、何か熱病じみるほど、抑えきれないような焦燥に達するまでに立ちいたっている。作者の言葉を長々と引用したが、さらに作者は語る。即ち、「幸福とは不断にたゆまざる行動を続け、我々の有する一切の傾向へ能力を実地において発達させることである」と。

行動の優位性について、自分でより優れた、世を益する行動に向かって、試みに第一歩を踏みだして、たとえどんな形にせよ、それを我々に示してもらいたいと作者は語る。さらに作者は、「何か自分の内部にあるいいところを発現する方法がなかったら、それは虚栄心のためではなくて、おのれのエゴを現実生活の中に自覚し、実現し、限定したいという、人間しぜんの要求によるのである」と、語る。

さらに、作者は空想家について言及する、即ち「活動を渇望し、直接的な生活を渇望し、現実を渇望していながら、弱々しく繊細で、女性的な性格を持っている人には、だんだんと、いわゆる空想癖が生まれてくる。こうして、ついには人間が人間でなく、何かしら中間的な存在、すなわち空想家になってしまう」と。この中間的な存在とは、『白夜』で、主人公がナスチェンカに語った、タイプ、空想家を想起せられる読者も多いであろう。

ドストエフスキーは、空想家を「それはペテルブルグの悪夢であり、具象化された罪悪であり、神秘めかしい、陰鬱な、奇怪きわまる悲劇である」と断罪している。

さらに作者は、空想家は人生が自然と目前の現実の絶え間なき自己観照であることを、知ろうしないであるとも語る。

空想家とは、悲劇であり、恐怖であり、カリカチュアであるとも、語るのである。

『ペテルブルグ年代記』は、『罪と罰』が、世にでるための一つの登竜門であることは、ある程度、肯定されることは言えるであろう。

ドストエフスキーは、中期の開始を告げるとも言うべき、『伯父様の夢』を一八五九年に発表する。

作者はジーナについて語る。即ち「これらの婦人に自分を裁く資格がないと認めた以上、何も彼らの前に出て宣言したり、告白したりする必要はないではないか？　概して、ジーナはあまり性急すぎたのである」と。

傲慢で激しやすい、極端に空想的なジーナの性格は、この瞬間、ぐいぐいと彼女を引っ張って、現実生活が要求する体面というものの埒を、すっかり踏み越えさしたとも語っている。ここに、空想家ジーナの現実への危機意識は、如実に示されていると言えよう。

ジーナのかつての恋人ヴァーシャは臨終の床で、彼女に告白する。即ち「僕の一生は空想にすぎなかった。いつもいつも空想ばかりしていたので、生活していたのじゃない。一人でお高くとまって、群衆を軽蔑していたが、そのくせ何が自慢で人を見下ろしていたのか？　自分でもわかりゃしない」と。

さらに、ヴァーシャは、かつてジーナとシェイクスピアを読んでいた時を回想して、「空想の中に宿っていただけの話で、いざ現実にぶつかると、僕はとんでもない心の浄さと高潔さを示してしまった」と語る。ここにも空想家の現実への不適応が示される。

ドストエフスキーは、一八五九年に『スチェパンチコヴォ村とその住人』を発表する。ロスターネフ大佐は、セリョージャに依れば、四十になる子供であり、すべての人を天使のように思いなし、他人の欠点のためにおのれを責め、他人の美点を極度にまで誇大する。他人の成功をよろこびながら、常に理想世界の中に住んで、もし失敗があった場合には真っ先に自分を責める、こういう潔白純真な心を持った人なのである。

但し、事実、敵はあったけれど、彼はどういうものかそれに気がつかなかった。

この空想家（広義の意味において）の現実（敵）の不安感が、この小説の最後まで展開されて行くことに言及するに留めたい。

タチャーナは、病的なほど感受性が鋭くなって、方図の知れぬ空想癖に落ちていく人間である。しかも、それはヒステリックな涙や、痙攣的な慟哭と交錯するのである。彼女の理性はしだいに衰えていって、こうした絶え間のない秘密の空想に堪えきれないほどになった。理想の権化なるかの人を期待していた。

タチヤーナは、空想家であり、十万ルーブリの財産が手に入るや否や、いっさいの省察、いっさいの疑惑、ありとあらゆる現実の障害、二二が四というほど明瞭な避くべからざる自然の法則も、全てがどこかへ消し飛んでしまったのである。

ドストエフスキーは一八六一年に、『ペテルブルグの夢』を書いている。ここで作者は自分は空想家で神秘派であると言っている。

そして、『弱い心』でヴァーシャが発狂した理由を暗示する「この世界全体が、そこに住む人々と、その住みか全ても引っくるめて、強者も、弱者も、貧者のあばら屋も、金殿玉楼も、このたそがれ時には、魔法めいたファンタスチックな夢に似通ってくるのであった。……で、新しい建物が古い建物の上に立ち重なり、新しい市街が空中に築かれて行くかと思われた」という描写が、繰り返されている。

ここでは、客体のうつろい性が、描写されているが、『ペテルブルグの夢』では、一歩進めて、夢もやはり順番が来るとたちまち消えうせて、それまで知らなかった感触のなすわざが心の中にうごめいて、あるものを悟った。それはさながら、何か新しいあるもの、ぜんぜん新しい未知の世界を洞観したかのようであった。その時以来、作者の新しい存在が始まったのであると強調している。

空想家の特質の一つである対象の幻想性を見ぬいて、後に展開されるシニズム及び実行家の空想家の考察とともに、『罪と罰』のラスコーリニコフの行動へと展開されて行くことを、指摘したい。

ドストエフスキーは、一八六一年に『虐げられし人々』を書く。

イフメーネフはこの上もなく気立てのいい無邪気なほどロマンチックな人々の部類に属していた（第一編三章）。

イフメーネフは、訴訟に負けて一万ルーブリを、ヴァルコーフスキイ公爵に支払う羽目になるが、娘ナターシャと公爵の息子アリョーシャとの縁組みが進むや、「いよいよ決闘になったら、公爵親子も自分のほうで結婚を取り消すだろうよ」（第二編十章）と、ヴァーニャに語る。

自分の娘に対する愛情と呪いとの相剋に陥ったイフメーネフは、夜になると苦しい憂悶に包まれながら、慟哭の声を胸の中に抑えつけていた（第一編十三章）。

イフメーネフは、リアリスト公爵の出現により、その脆さを露呈するのであった。

ヴァーニャはイフメーネフに語る。即ち「あなたは公爵を冷笑し、これに復讐したくてたまらないものだから、そのために娘の幸福を犠牲にしていらっしゃる。これが果たして利己主義でないでしょうか？」（第二編十章）と。

イフメーネフの現実に対するコンプレックスは明らかになったが、娘ナターシャも然りである。

ナターシャは、自分の片隅におとなしくしていて、世間へでなければ、それがなによりで、自分の片隅を愛して、その中で人間嫌いになってしまう性格である。

ナターシャは二十二歳のとき、美しい黄金時代（果樹園や庭園の）を経験していた。ナターシャは、高潔な傲慢さという性格を持っていた。自分が神聖視しているものを冷笑されると、心が痛むのであった。それは信念の不足からくるのではなく、多少は世間をよく知らないこと、人に馴れないこと、自分の小さな片隅にばかり閉じこもっていることも原因になっていた。

四日間のアリョーシャの移り気に対して、ナターシャは、「あの人はあなたの期待なすったことを、すっかり履行したんですもの」と、ヴァルコーフスキイに対して言うが、ナターシャの見当違いは明白であろう。

公爵のナターシャへの衝撃は、「彼女の頬は火のように燃えたった（第二編六章）」と。最後に、ネルリの母も空想家で、現実に対する危機意識は十二分に読み取れるが、この点は次節で改めて取り上げたい。

ドストエフスキーは、一八六四年に『地下生活者の手記』を書く。

「べた雪の連想から」（第二部）で、作者は、「わたしは野生に近いくらい孤独だった。私は誰とも交際しないで、話をするのさえ避けるようにしながら、しだいしだいに、自分の片隅の世界へ閉じこもっていった」と語る。

主人公は空想家なのであることは間違いない。さらに、職場の連中からの視線を恐れた。自分を臆病者で奴隷みたいな人間だと絶えず感じていた。

夢想家は心の中に地下心理を蔵していた。主人公は語る。即ち「私は何かの拍子で人に見つかりはせぬか、だれかに出会いはせぬか、顔を見分けられはせぬかと、恐ろしくびくびくものだったのである」と。ここにおいて、主人公の現実への危機意識が読み取れる。

総じて、『貧しき人々』から『地下生活者の手記』までの世界は、小説の主人公の性格の背後に裏合わせに位置する現実の不安感、危機意識を内包していることに着目したい。

第三節　弱者破滅の系譜

弱者が陥りやすい人生の悲劇を、直視し、検討し、仮借なき批判の刃(やいば)を下したのが、前期の文学の特徴と言えるであろう。従って、ドストエフスキーの文学の系譜における前期(初期・中期)は、教訓の世界と言える。

弱者が、教訓にしなければならないことを、『貧しき人々』から、『地下生活者の手記』までの世界に作者が仮託し、論じたものである。

この点において、チェーホフの初期の作品群、即ち『隣の学者への手紙』から、『ねむい』までの世界と軌を一つにしていると言えるであろう。どれほど、チェーホフが、ドストエフスキー文学を意識していたかは、定かではないが、興味深い一致である。（チェーホフの初期は、その他、ユーモア小説、ペーソス小説である）

但し、チェーホフの場合、人生の種々多様な断面を、垣間見せてくれることが、ドストエフスキーのそれと、異質性がある。

ドストエフスキーの場合は、前期の創作系譜を通して、一貫性、統一性がある。即ち、安易な妥協をしたり、強者に足許をすくわれたり、苦痛の快楽をしたり、敵の存在に気が付かなかったりすることなどなどによる人間悲劇である。

元来、小林秀雄を初めとして、前期（初期・中期）の作品を本格的に論じた研究は、未だ為されていないのが実状のようだ。これは四大作品が、あまりに群を抜いて、そびえ立っているからだと言えるよう。しかし、前期の作品群の解釈を抜きにして、『罪と罰』の位置づけも意味を為さないであろう。

そもそも、処女作『貧しき人々』では、ヴァルヴァーラは、「私はブイコフ氏と結婚します。……将来私を貧困と欠乏と不幸から救ってくれるものがあるとすれば、それはほかでもない、あの人です」と、ジェーヴシキンに語るのである。

ヴァルヴァーラはジェーヴシキンとの清廉な関係を断って、ブイコフとの安易な結婚に依って、経済的な活路を見出し破滅するのである。

『分身』（一八四六年）では、我が善良なる孤高のロマンチストたるゴリャードキン氏が、死と消滅の境を彷徨したり、顔から火が出そうになったりする場面が幾度かある（クララの我が家への誘いなど）が、一切を対岸し得るゴリャードキンの信条が、揺らぎ崩壊し去った原因は、彼の性格に巣食う欠陥なのか、よこしまな感情を抱く悪辣な敵達に在るのが、その内どちらかに作者が重点を置き、問題としているのか、検討したい。

医師クレスチヤンは、患者ゴリャードキンの非社交性と性格に危惧を表明して（第二章）いたが、ゴリャードキン氏の性格の構造については、第一に、全体の弱さ——「彼の全存在を領す」（第五章）、「一匹の虫が巣食って、彼の心を……」（第七章）、「破滅し、抹殺されてしまった」（第十三章）——が指摘され、第二に、孤高の意識——「陰謀家じゃない、潔白で——」（第六章）、「仮面をかぶった人間が多く」（第八章）、「あいつは悪党だが、俺は正直に（第九章）——と言える。

第三に、他者に対する甘さ——「客は泣いているではないか」（第七章）、「自分の秘密までもうち明けて（第七章）、（『あの男さえ折れて出れば』、和睦）（第八章）、「同情心があの男を庇護してやれと」（第九章）などが指摘され得る。

一方、他人から見たゴリャードキン像について言うと、前述の医師の診断は、もとより、新ゴリャードキンは、「貴方が寛大な、徳の高いお方」（第七章）と称し、作者は、「誰にもせよ、彼をぼろっきれにしてやりたい気があれば、何の抵抗も受けず、ぬけぬけと」（第八章）と評している。

分身の登場という設定自体は、ゴーゴリの『鼻』を連想させるが、本小説では、新ゴリャードキンの出現は、主人公にとって、「恐怖・羞恥」（第六章）であって、おのが身体から離れた感がある不安定な存在を呈する分身が、書類の横領、饅頭の数、クララ事件のすり換えを敢行し、そのために、不利、破滅を余儀なくされる図式、即ち「分身」の存在が、主人公の悪行の表札となって、主人公を圧迫すべく機能する図式となっている。

足許をすくわれた主人公の弱々しい対決（ネストル宛書簡、閣下の前での陳述など）も、後の祭に終わるが、自らの性格の欠陥（弱点）に気づかなかった主人公の、成るべくして成った破滅と言える。

『分身』の主人公ゴリャードキンが、ぼろっきれの位置に身を落としていたのに対して、『プロハルチン氏』（一八四六年）の主人公は、自分がぼろっきれ、薄っぺらなブリン（マルクの評）であることを知り抜いて、二十年来、孤高で静穏な生活（夢想家の部類に属す）を、守り通せたが、とんだ拍子に茶話に首を突っ込む機縁で下宿人たちから、身の破滅を余儀なくさせるべく一斉攻撃を受ける。

プロハルチン氏が、追いつめられた時、「自分は、自由主義になったのだ」と、開き直ったが、彼への攻撃、彼の失踪、帰還を前後に、例えば、非社交性批判（マルク・イヴァーノヴィチ、ジモヴェイキンなど）の有様の本質は、夢の中で、群集をプロハルチン氏にけしかける箇所や、彼自身が大勢（下宿人）がかりで引捕まえられ……「傀儡師が、悪魔に魂を売った道化人形を箱の中へ」という比喩の箇所に在る。

唯我独尊の生活から、一時にせよ、彼らの恣意的な裁量下に、身を委ねたがゆえに、うっ積した不満、反感を受け、それが最高潮に達した時、彼は大粒の涙を流し、同情を買う形で、その場を切り抜けるが、まもなく死ぬ。

彼の自由主義とは、悠々自適の生活を送り、そのためには、他者にイニシアチヴ（乞食袋――も二千五百ルーブリ）（おかみに死んだ彼が「ひょっくり起きあがったら、その時、どうなる?」と語る）の表札を死ぬまで（生前は）明らかにせず。死に顔は年とった利己主義者で、投機は仕事云々という、資本家然、したたかさ、ちゃっかりさを表現する。

『主婦』（一八四七年）では、カチェリーナが語る。即ち「私が悪魔に身を売って、人殺しに魂を渡してしまい、幸福と引き換えに永劫の罪を背負うようになったからって、それが一体なんでしょう！……私があの男のけがらわしい女奴隷となっていながら、恥知らずにも、そのけがれと恥が好ましいということですの。自分の悲しみがまるで嬉しい、幸福なことみたいに、思い出しても懐かしいということですの」と。

一方、ムーリンは強者の哲学を披瀝する。即ち「弱い人間に一切のものをやってごらん、自分のほうからやって来て、何もかももとへ返してしまうから。……弱い人間に自由をやってごらん、自分でその自由を繰り上げて、返しに来るから」と。

カチェリーナは、結局、ムーリンの支配から、逃れられなく、悲劇は続くのである。

『弱い心』（一八四八年）では、アルカージイは、ヴァーシャが幸福（アルテーミエヴァの娘との婚約）に圧倒され震撼されて、正気に返ることができないと見抜く。

ヴァーシャはインキのついてないペンを紙の上に走らせては、真っ白なページをめくりながら、まるでこのうえもなく立派に仕事を進めているように、せっせと忙しそうにやっていた。ヴァーシャは閣下からの清書の依頼の仕事に、幸福と相まって、ついに発狂したのであった。

結局、ヴァーシャは精神病院送りとなる。友人アルカージイは、家路に向かった時、全世界が、強弱すべての人間も、その住居も――貧者のあばら家や富者の金殿玉楼も、何もかもひっくるめて、何かの夢が幻想のように思われ、この夢が今にも跡かたなく消えてしまって、あお黒い空に霧のように昇ってゆきそうな気がした。

結局、ヴァーシャは、対象（閣下の愛顧や婚約）に足許をすくわれたものである。

『人妻と寝台の下の夫』（一八四八年）は、嫉妬を扱った作品であるが、この作品も、『主婦』『弱い心』などの一連の創作の延長線に位置すべく、弱者の破滅に言及したものである。

主人公、イヴァン・アンドレーイチは、角を生かした夫（妻に浮気される夫を言う）で、妻を監視するため、共に張り込む羽目になった青年（トヴローゴフ）が、実は妻の情夫であったり、後半（第二章）では、我が主人公は劇場で、文官服の青年と妻との密会を指定した手紙を、妻の不手際で入手することになり、逢いびきを事前に中断させるべく、現場へ踏み込んだが、そこは目標の一階下に当たり、老人の寝台の下だった。

我が家に戻ったアンドレーイチは、妻グラフィーラから、自分の焼きもちから生じた奔走を見抜かれ、恥ずかしい夫と、返り討ちにあう。

作者は、主人公の弱さに追い打ちをかけるべく、先ほどの（寝台の下での）小犬の死骸を不意にポケットから転がり出させ、破滅を一層、イメージつけて、「諸君もご異存ないことと思うが嫉妬は……不幸でさえあるのだ」と、死相を表わしながら妻の名を呼ぶ主人公に、無慈悲にも言い放っているのである。

ドストエフスキー論を展開するにあたって、内容の紹介が中心になっている観がするがこれもひとえに、初期、中期の作品群が、一般に案外知られていない所以であることを断って置かねばならない。

彼の初期の幕を閉じた最後の作品は、『ネートチカ・ネズヴァーノヴァ』（一八四九年）である。

この作品は、ドストエフスキーの逮捕によって、中断を余儀なくされた未完のものであった。普通、内容上の分類によって、三部門（第一部。音楽家エフィーモフの一生。第二部、主人公とカーチャの恋。第三部、カーチャの義姉夫婦の関係）に分けられるが、主として、第一部（第三章まで）を問題としたいと思う。

ネートチカの継父エフィーモフは、自分の才能、未来の光栄の幻想につかれて、破滅の人生を余儀なくされる、弱者である。

エフィーモフは、地方地主の楽団員として、雇われた音楽師（バイオリニスト）であったが、独立し、自由な境涯となるや否や、放蕩し零落したので、念願のペテルブルグにたどり着いたのは、六年後の三十であった。

ペテルブルグでの、生涯の好伴侶、ドイツ人Bや、数年後のネートチカの母との出合い（結婚）も、継父は両者に、物心両面の労苦をかける。

かつての地主の餞（はなむけ）の言葉「酒を飲まず、勉強して、慢心を起こさないように」とは、裏腹にペテルブルグでの生活は、Ｂの眼には次のように映ったのである。

失われた才能を追想した時の無意識の絶望と、天才なりという自己眩惑、自己満足との間の彷徨、拮抗があった。

自己眩惑は七年間、自分の未来の光栄を空想して、満足することになるが、エフィーモフにとって、自分の芸術家としての生命が、昔に断たれていることの自覚は、死に近い絶望を意味している。この絶望との直面を回避するために、彼の取る方策は、運命（女房、貧困）や陰謀への責任譲渡である。

結婚生活も八年目を迎えた時、全欧的な名声を博するＳが、当地で演奏会を催すことになった。旧友Ｂの骨おり（招待券）で、Ｓの演奏を聴き終えて帰宅したエフィーモフは、永遠に若く真の天才Ｓが、その真実性で継父の最後の希望や、虚偽を押しつぶしてしまったことを知り、手に取ったバイオリンからは、烈しい絶望の響きが流れ出るのであった。

継父はその二日後に、郊外で狂死するが、その他、継父の直覚的芸術理解を評価しつつも、初歩のメカニズムや対位法の忘却や無理解を見抜いていたＢの信条（自己滅却、怠惰との闘争）の賢明さや、ネートチカの十三歳から十六歳までの図書館での読書生活は、メヽチターテリ（空想家）の形象の継続が、読み取れる（第六章）ことを付加したい。

流刑時代の終わりにさしかかったドストエフスキーは、『伯父様の夢』（一八五九年）を三月に、『スチェパンチコヴォ村とその住人』を同年の暮れに、それぞれ掲載したのである。

『伯父様の夢』で神輿（爵位と財産の目的で、結婚の対象〔ジーナの〕とされる〔母親マリヤによって〕）に祭り上げられるK老公爵は、鬘、こしらえ物の口ひげ、頬ひげをつけていたが、土壇場でマリヤを初めとして皆から偽装を揶揄され、八つ裂きの目に逢うが、これは『プロハルチン氏』の最後の場面で、死人の敷蒲団の臓物の散乱の有様を想起させる。

公爵の心痛は永眠によって癒されるが、深刻な破滅を露呈するのはモズグリャコフ、ジナイーダ、ヴァーセンカなどの弱者の破滅であり、初期作品群の問題意識を継いでいる。

モズグリャコフは、少々、頭の足りない領主、青年であり、ジーナとの縁談が巧く行かなくなるや、面当てする点、『主婦』のオルディノフが、カチェリーナに同情し、義憤にかられて、魔術師ムーリンに刃を向けるような、納得さ、共感を読者に与えないが、モズグリャコフが、ロマンチックな空想所持者（第十一章）で、弱い性格（第十一章）を有している点、オルディノフと共通点がある。

モズグリャコフは、自分の縁談が老公爵に取って代えられると、ジーナ母子を誹謗し、腹いせに公爵を操るが、ジーナの本心（自分への愛）（町を逃れるためとはいえ、彼と結婚したら、貞淑な妻となっていたと表明。――第十四章）を聞くと、すぐに、自分の卑劣を表明する。

なぜなら、作者は彼の心理を説明して、屈服に馴れた弱い空虚の性格が、狂憤に駆られ、自尊心を満足させるが、すぐに良心の呵責に堪えかね、自分を叩きのめして、極端から極端へ飛び移ることがある（第十一、四章）からと。

ヴァーセンカの破滅は、肺病悪化での死期にあり、服毒自殺未遂は（一年半前）、それ以前の破滅であった。

教員の彼は、ジーナからの恋文をジーナの母（マリヤ）の仇敵に渡る羽目にし、その自責で服毒した。

死期が迫ったヴァーセンカは、ジーナを枕元へ呼び寄せるが、当時を回想して、自分の死の床（煙草を酒にまぜ飲んだ）、それが原因で、肺病となり、一年半の療養、今回の臨終となるや、雑誌への劇詩掲載が、彼女の心を引き止め、彼への評価の転換を促すとの期待が在ったことを術懐する。

さらに嫉妬のため間諜を廻した話や、死後、自分のこととの想起を彼女に依頼するのだが、彼自身、ロマンティックな馬鹿な話とは言うものの、手紙を公表する行為によって、自分の足許がすくわれたことが、上述の弱者の破滅の本質を成す。

ジナイーダは、ロマンティックな性格を持つ女性であり、その形象の美しさは、『初恋』のM夫人や、『ネズヴァーノヴァ』のアレクサンドラに近いものがある。

ジーナの母、マリヤは百二十人の農奴を市の外に持つ小領主であって、K公爵（少し頭の弱い）と娘との縁談の成立のため、モズグリャコフ、ジーナ、公爵を操（あやつ）る女傑であるが、この企図は名声の喪失と共に、粉々に打ち砕かれる結果となる。

マリヤの破滅はとりも直さずジーナの破滅にもなっている訳だが、ジーナは自分を顧みずに、母の持ち出す結婚話の諾否の彷徨や、悔恨（八、九章末）の後に、今度の縁談が山師的性質だと、公に表明する（第十四章）。

ここで、ジーナのヒロイックな態度が称えられるべきであるが、事態（作者の視点）は、もっと深刻である。

ジーナの結婚話（モズグリャコフとの場合もそうだが）承諾には、ヴァーセンカとの関係の、市の悪評という呪わしさからの逃避や、特に老公爵との場合は、彼の死後、公爵未亡人として、過去を払拭し、当市での権勢（名誉）回復の意味が込められていた。

ジーナは、市の自分に関する噂の圧力の前に、動かされる形で結婚話に乗るが、良心が潔しとせず、結婚の意図を公表し、さらにヴァーセンカの臨終の床に、付き添うことで名誉の失墜を二重にして、母子共に、市から退去を余儀なくされる形で、破滅する。

この大破滅の原因の一を成すのは、有象無象の圧力（噂）であるが、これは根本原因ではない。作者はジーナの暴露（結婚の意図公表）に疑問を表明している（第十四章）。彼女は万事、穏便に済ます方法があったのに、それをせず、以前の噂の仕返しとは言え、婦人連を直接批判したり（第十四章）、以前は、人々からは雲の上（よそよそしい）の人間として（第七章）憎まれる我が孤高の人は「空想的（告白のため全身を痙攣させる――皆の前で）なジーナの性格は、現実生活が要求する体面の埒を越えさせた」（第十四章）という暴露への評価を受け、ヴァーシャの死後、彼女は威嚇的な陰惨な新しい生活を感得するという弱者の憂き身をやつす。

ここに、夢想家に於いて、ジーナへのセンチメンタリズムの導入により、『罪と罰』の位置付けが可能となる。『罪と罰』の「シニズム・ニヒリズム」の骨格が、このセンチメンタリズムに依って、それが克服される形で、「現実」という概念を獲得するのである。『伯父様の夢』と同じ年に発表された。『スチェパンチコヴォ村とその住人』（一八五九年）も、以前の作品群の系統を引く、弱者の破滅の鍵を解かんとする作品である。

本小説の弱者的タイプは、ロスターネフ大佐と、タチヤーナであるが、後者はいずれ述べたい。

大佐は、母や居候フォマーに対して、牛耳を執られているが、まず大佐の性格について、一言したい。

大佐の性格は、一口に言って、四十の子供の如く、潔白純真で気の小さな弱い人間であり、その弱さも、おのれの利益を犠牲にして、他者の利益を優先させる場合として現われるが、彼の性格には、人間全体に対する尊敬が基調となっている。

大体が敵の存在を想像や、関知しなかったこと（セリョージャの評）が、上記の性格と相まって、自分自身破滅への道へと、知らず識らず余儀なくされる原因である。

大佐を操る、いわば見えざる敵となっている母やフォマー、前者から大佐は、エゴイスト、恩知らずの息子と称され、精神的慰藉の餌にされている。

フォマーの大佐への関係は、特別のものがあり、これは一種の専制とも称し得る。

フォマーは、大佐の母が再縁したクラホートキン将軍の居候であったが、将軍の死後、大佐の母と共に、ロスターネフの大佐の領地があるスチェパンチコヴォ村へ、引き移ったのである。

この家で、新しく食客となったフォマーの大佐への専制とは、およそ次のようであった。

フォマーは、大佐の救世主と称し、大佐から自分の被害者意識を引き出し、彼に堕落と許しの念（不当にも）を起こさせ、大佐は、自分に過失（欠点）があると感ずるようになり、自分の頬ひげを剃り落としたり、フォマーの前で、エゴイストであることを認めたり、フォマーから数々の説教や指図を受ける。

フォマーの性格は、将軍時代の道化の身からの転身（専制）はあるが、基本的には変わっていない。彼の性格の基調を成すのは、自尊心と、屈辱感（羨望）であるが、後者は自尊心を煽りさえし、概して、この混淆は放浪時代のねじくれた感情に起因し、後のセリョージャの評「全人類に復讐云々」やバフチェフ氏の評「道徳病」として、顕われる。

小説自体は、叔父の大佐から縁談の手紙を受け取ったセリョージャが、スチェパンチコヴォ村へ向かい、そこでの滞在として繰り拡げられるが、同村で彼の目に止まったのは、フォマーの百姓や大佐に対する法外な支配、専制であった。

フォマーの支配に対する大佐の反抗が、皆無であった訳ではない。

それは二度あり、小説では事件として、大きく扱われており、別れ話（第一編九章）と、殴打（第二編四章、追放）である。前者は同居を断る名目で、差し出す一万五千ルーブルをフォマーが、はねのけ、まき散らすや、大佐は自ら卑劣漢と称し、許しを乞い、果ては『閣下（最高の尊称）』呼びを強要され、受諾し落着する。後者は所謂タチヤーナ問題に端を発しているのだが、大佐とタチヤーナとの結婚説の真意は、ナスチェンカ追放を防ぐためであると解るが、大佐とナスチャとの庭での接吻の場をフォマーに見られ、後、公の席で、淑女の名誉云々と批判したフォマーを殴打し、放り出すが、母の願いを聞き入れ、フォマーを呼び戻し、以前の支配が、彼の弁説と共に回復する。

フォマーの復帰の際の思いがけぬ縁結びで、結婚した大佐とナスチェンカの二人は、以後、フォマーの死ぬまでの七年間、彼の恣意（支配）に服したのであった。

大佐が、支配を受けたという意味をここで再検討せねばならぬ。

それは、支配（恣意の）、専制を受ける大佐の性格を弱者的タイプとして、把え直すことを意味し、一種の破滅（精神的）を余儀なくされる性格の欠陥面に、目を向けたい。

大佐の性格の欠陥を的確に言い表わしたものとして、「お父様（優しい、立派な）が、あんな者（フォマー）の玩具になって、自分を人の笑い草にするって法があるでしょうか？」と言う、十五になるサーシャの指摘がある。

さらにそれは、バフチェフ氏の評「大佐はあの男（フォマー）のため血の涙を（第一編二章）」とも一致するが、性善説を裏書きするような人物、大佐は人間関係における危機意識や対人関係における自意識（敵の存在意識）を持たず、他者に対する正当なふんぎりがつかず、「みんなが、あの人（大佐）を八つ裂きに、あの人の一生を台なしに」（ナスチェンカの評）を体現すべく、二人の結婚後も七年間、フォマーの支配（食いもの）の下にあった。〔結婚前、大佐はナスチャとの秘密暴露を恐れて、「フォマーの表沙汰があったら、信ずべきものを失う」と言明（第二編二章）〕

その他、オブノースキンと駈け落ちを図ったタチヤーナの性格も、弱者的タイプに属する。

不幸な身の上を持つ、三十五歳のタチヤーナは現実の幸せが少ない程、空想の力で慰めるというロマン主義者であり、屈辱や悲しい現実にとり囲まれ、悪者にされても、一切構わず、空想（貴公子）に溺れて、遺産の相談後、オブノースキンとの話に乗せられるのだが、ここでは彼女の現実処理能力欠如や、性格の持つ破滅志向性について（布きれのような）、言及するにとどめたい。

『虐げられし人々』（一八六一年）では、一年後、同じく『ヴレーミャ』誌上に『いやな話』が掲載されるが、この作品で、農奴解放直後に、自由主義、人道主義（人間愛）を説く（鼓舞）閣下が諷刺されているが、実は雄弁という虚栄心にとりつかれ、大失態を演ずるのであり、その意味で『ネートチカ・ネズヴァーノヴァ』の継父の破滅に近いが、その『虐げられし人々』の登場人物も、弱者的タイプを具現するが、前節では、ナターシャ、イフメーネフの現実に対するコンプレックスを指摘したのである。

礼儀（道徳）を生活の快適さを守るための手段としてみなす、シニスト、公爵の合理主義の前に、ナターシャやネルリの母などのセンチメンタリズムが、脆さを露呈する。

以下、ナターシャと公爵、イフメーネフと公爵、ネルリの母と公爵との関係に於いて、検討して行きたい。

まず、ナターシャと公爵だが、自分の婚約者としての立場に、同情のために、息子アリョーシャを仮借なく批判するヴァルコーフスキイ公爵に対して、彼女は不平、異議をはさむ。

これは、アリョーシャが、社会正義一般を論じた際に、公爵が息子の四日間の移り気（カーチャの許で）を彼女(ナターシャ)を擁護の呈で、愛に悖(もと)る犯罪と手厳しくしかる点について、ナターシャは異議をはさむ。

ナターシャの公爵への不信は、公爵の二人の前への登場（第二編二章）の際の「息子を彼女の婚約者として推す」宣言から始まっているのだが、公爵のねらいが、カチェリーナとの縁談（家運復興が第一の理由、第二のそれは、彼女の器量、教育）の意図が（これは第二編二章で、公爵自身が公言したことで、その後、ナターシャに息子のことを懇願する）、まだ沈潜していると、彼女はにらんでいた。

ゆえに、今回（第三編二章以下）の不平（見せかけの高潔と寛大でアリョーシャの目をくらませ、二人の仲を割く公爵の意図）が、ナターシャの口から出たのだが、公爵は、「盲目的な、嫉妬（カチェリーナに）の発作」と、自分への批判を切り返し、所謂強者の哲学を振りかざし、彼女の慟哭を見て、これは、「あまり無我夢中で、空想と孤独のせいです」と、彼女の性格が、現実の重石に、崩れ易く、実生活に不慣れのため、自分より強き者と、「金のため云々」という弱々しい抵抗で、自らの足場を失うことを見抜いている。

　これを裏づけるには、同箇所で公爵〔彼は口外した約束（ナターシャと息子との結婚）は、神聖だし、息子の幸せが希望と語り、品位を傷つけられたように退出する〕が去って、二人が残り、アリョーシャはナターシャに、「僕はそれだけの（ナターシャの愛）値打ちのない男なんだよ。誰が罪人を捜し出さなければならない、そこで君はお父さんだと思い込んだのさ。ところが、彼は本当に悪くはないんだよ！」と、父親の打算的な縁談観をこの時点では、打ち消している点を指摘出来る。〔夜のレストランでは、カーチャと息子の結婚は現実的利益として必要と言明する〕

　さらに、夜のレストランでの〔第三編十章〕、公爵の人生哲学（シニズム礼讃）披瀝、特にアリョーシャ式の牧歌趣味、ナターシャのお上品さを批判しているのが、注目される。

この論旨に反するような事例が一つある。それは第四編六章で、カーチャとナターシャが会って、ナターシャの敗北が確立して、公爵がシニズムの一環として、ナターシャのお上品さ、負け様（ざま）を痛烈に嘲笑して、ヴァーニャの殴打を食う場面であるが、彼女の弱さをある程度、保護する読者向けサービスだろうか。

次にイフメーネフと公爵との関係について見ると、第二編十章にて、老イフメーネフは公爵と二年来の係争（領地管理）が、有罪になり、一万ルーブリの賠償金を支払うことになったが、今までの自分への侮辱に堪え兼ね、公爵との決闘を思い立つが、ヴァーニャに思い止められる。

後に、公爵の決裁で、同金額の譲渡が、イフメーネフ家族の慰藉金として、行われることになった時、老人は早速、決闘の取り次ぎを頼むのであった。

この決闘の申込みに、公爵は「訴訟に負けた者が敵討（かたきうち）のため云々」は不当だとして、退ける（第四編五章）。事件その物についても、公爵は老人の管理上の落ち度を指摘し、自分（老人）の癇癪まぎれの「訴訟持ち込み」を認めつつも、全体としては、受けて立っている（第三編八章）。特に懸案の一万ルーブリに関しては良心的にも自分のものと言明（第三編八章）。

作者は、イフメーネフを一見同情しているように思えるが、実はそうはしていない。

敗訴が確定し、娘ナターシャとアリョーシャの別離が近づいた日（第四編五章）に、娘に手紙を書くが、ヴァーニャはこれを評して、「侮辱されたプライドの苦痛（公爵の勝利が、どれだけ彼の自尊心を傷つけたか）」と、読み取るのであった。

二年間の労苦（徒労）、敗訴、精神的敗北に終わった今回の訴訟事件は、イフメーネフの性格の問題点を描出する。

ヴァーニャは、娘の幸福がかかっている公爵承認の縁談を以前の中傷を否定する目的（復讐）で、はねつける意図を持つイフメーネフに、対象（公爵）を必要とし、跪拝している弱者の利己主義を観る（第二編十章）。ヴァーニャは、ナターシャに対してはアリョーシャを自由にする賠償としての意味を持つ、公爵からのイフメーネフへの一万ルーブリ譲渡が、後者の拒否を見込す公爵の高みに対して、「思わずかっとして憤慨のあまり胴震い云々」（第三編八章）と、公爵を批判させて、老人擁護の読者向けサービスは、忘れていない。

さらに作者は、自己陶酔に陥るほど、悲しみや怒りに溺れ切って、自分が不幸な、はずかしめられた人間だと感じたがる要求があるタイプをイフメーネフにみなしている（この意味で、女そっくりの男が多いと。――第一編十三章）。

最後に、ネルリの母（子）と公爵との関係について観ると、第二編の終わりで、ネルリが語る物語（捨てられた、恐ろしい女の物語）は、ペテルブルグの大都会の、湿っぽい地下室を舞台とするのだが、この作者の約束した話（物語）は、後半にかけて明らかになって来る。

公爵は夜のレストランで、ヴァーニャに『善行（寛大な心）が大きいほど、そこには利己主義が多くなる』という題目で、講じているが、いわば女（ネルリの母）を寝取り女から金（債権証書）を提供させる形となって、女を見捨てた公爵は、「金を返してやったら、かえって女を不仕合わせに……」と語り、その理由として、「生涯、私を呪うという楽しみをその女から奪うことになる」即ち、憤怒の陶酔（自分を侮辱したものを悪党呼ばわりする完全な権利の把握は、最上の陶酔感）という、弱者の破滅における自慰的（地下室の）側面に目を向けて、利己主義云々の説を証明している。

実はこの女とは、ネルリの母なのだが、マスロボーエフに依ると、公爵は当時、ある親父（この親父の名は、小説の冒頭に登場する老人スミットであり、公爵が彼女を捨てたのは、十三年前のことである――エピローグ）から、娘（彼女）を瞞して、金の証書をねだり倒させて後、彼女ともども、パリへ駈け落ちしたのである。

エピローグで、マスロボーエフはヴァーニャ相手に、この件に関して総括しているが、ネルリの生活の保障は、公爵に必要だったとしながらも、ネルリの母の男への眼鏡違いを強調しているのが、注目される。自分の天使（公爵）が、やくざ者に早変わりし、自分を踏みにじった変化に、ロマンティックで、きちがいめいた心の持ち主の彼女は、堪えきれず、発狂までするが、さらに娘ネルリに公爵の許へ決して行くなと言ったのは、彼女の許（ネルリの母）への公爵からお呼びのための使者を侮辱で報い、念願の復讐を果たすため——パンの代わりに恨みつらみで自らを養っていた——である。

この弱者の他者へのとらわれ、裏返しの拝跪（従属）という一種の自己破滅は、弱者的タイプという形象で総称さるべきもので、娘ネルリを付言すると、彼女は病弱で、慢性の病気が肉体組織を破壊しているように思われ、ヴァシーリエフスキイ島から、母の死後、ヴァーニャ（イヴァン・ペトローヴィチ）の許へ、身を寄せるが、着物を破ったり、新しい幸せがこわくて、自分で働く意志を表明したり、『伯父様の夢』のモズグリャコフに見られた、狂憤から良心の呵責への極端な転位という弱者特有の性格が、ネルリの場合は、かたくなで、粗野な状態から、愛と感謝の要求（愛撫と涙に捧げつく）への急転が容易に起こる。

このことは、後（第四編四章）に、ネルリが自分の虐げられた傷を掻き立てようとする態度（誰かを仰天させる意図、自分では癒されなかったので）に、ヴァーニャは苦痛のエゴイズム（享楽）を見ていることからも窺える、エピローグでは、ネルリの臨終の模様が描かれる。彼女はヴァーニャに、母の遺言『あの人（公爵）を呪ってやる』と、自分の遺言（許さなかったことと、この死）を語り、後者については、公爵へ伝言を頼む。

さらに、母の公爵宛の手紙（ネルリは公爵への転送は、望まなかったが）の入った守り袋を託するが、これには、公爵への呪いの言葉と、赦免はせぬことと、自分の晩年の生活と、娘ネルリの境遇が書かれ、特筆すべきは、この手紙持参のネルリの後見の拒絶が無ければ、あの世で、公爵を許すという、支配権を確保し、そのことによって、うらみで生活して来て、念願の復讐を果たすという弱者の空振り的反抗を示している。

ネルリ母子は、苦痛のエゴという観念に陶酔して、貴重な現実的な精神生活を空費してしまったことが、摘出されているように思えるのである。

ドストエフスキーの五大作品を前にしての最後の作品は、『地下生活者の手記』（一八六四年）である。

この作品『手記』は、処女作『貧しき人々』（一八四五年）から、この時期までの作品群の、いわば集大成の観がするし、また、以後の作品に見られる、現実的力量を兼ね備えた登場人物たちの生動と気概を内蔵している。

『地下生活者の手記』は、手記を綴る人物の自己紹介と、見解を述べた「第一、地下の世界」と、自分の青年期の生活上の事件を叙述した「第二、べた雪の連想から」の、二部によって構成されており、特記すべきことは、第一部の冒頭（緒言）で、ドストエフスキーが、自らの署名入りで、手記の作者の如き人物は、当社会に実在するし、その存在も当然なほどと宣言しているが、これこそ本手記の第一、二部を貫く基本姿勢である。

この社会とは、一般社会ではなく、作者の念頭にあったのは、ペテルブルグ（第一部二節に、最も抽象的作為的都市云々とある）なのであった。

このペテルブルグは、『分身』（ペテルブルグの叙事詩と副題）、『主婦』『白夜』『虐げられし人々』など、小説の舞台ともなっており、その内容も見て来た通り、類型化されている。

前期は、大都会、ペテルブルグの片隅、密室の住人の性格や言動の空想性、現実（生活）に対する危機感包含を第一骨子とし、第二のそれは、孤高のロマンティストたちの、弱者としての身の破滅であった。

その観点からは、本手記、第二部「べた雪の連想から」の書き出しの部分、即ち「その頃、孤独で……自分の片隅の世界へ閉じこもって」の意味も、容易に理解される。

さらに第二部では、上記の第二の骨子、破滅の原因を暗示する三つのエピソードが語られた後、再び主人公は、地下の世界へと、舞い戻る。

奴隷じみるほど、常套を盲拝し、自分は臆病者で奴隷みたいな人間と称する主人公は、第一のエピソードたる将校との関係にて、主人公は蠅の如く、両肩をつかまれ、通り道をふさがれた六尺の将校から、他の場所へ据え直され、侮辱を感ずる。

事件は二年後、肩と肩（二人の）が互角に渡り合うことで落着するが、この間、主人公は苦悶の思いを抱き、カリカチュア風（将校を）の小説を書いたり、相手の注意を引きつける手紙を書いたが、徒労に終わる。これも一種の損なわれた自尊心の、失地回復をめざす試みであり、さらに将校に出会う機会が多い通りへ、即ち「何のため、ネフスキイ通いをするのか、機会さえあれば、そこへひかれていったのだ。……一層強く、そちらへ引きつけられて」いったのである。対象（将校の存在）にとりつかれて、足をすくわれる弱者ぶりが、明らかになる。

第二のエピソード（友人との）は、放蕩と、空想の貝殻との混淆の時期だが、「英雄にあらずんば塵芥」の我が孤高のロマンティストたる主人公は、友人たちの目には、臆病者おとなしい被保護者としか映らない。

作者（手記者）は、上述の信条が身の破滅の原因と言うが、末流の現実を打開し、凱歌を奏せんがため、主人公は深遠な演説や、高笑、注意を引くための三時間の歩行、さらには、そのズヴェルコフの送別宴の後での二次会たる料理屋に向かう際の、主人公の心情

（すっかり取り戻すため、彼らに平手打ちを）などなどは、いずれも徒労に終わり、反感を買ったり、無視されたりの散々の結果となる。

主人公は癒されぬ屈辱感のため、（生涯の）果断のない報復を自分に誓うが、（将来の復讐を夢想の時）心の中で、『見ろ、悪党、ぼろぼろの着物を、おれは一切を失ったのだ』と、対象（彼ら）を突き放せない、弱者の破滅を暴露し、果ては、涙さえ流して泣き出す始末である。これはネルリ母子（『虐げられし人々』）の苦痛のエゴイズムに通ずるものがある。

第三のエピソードであるリーザとの関係もまた、弱者的タイプを描出している。リーザそのものも弱者であり、主人公に依れば、彼女は純潔なるロマンチシズムと、穢らわしいセンチメンタリズムを持つのだが、自分全体の救いが、他者（対象）にある（「命の親」――第八節）とみなし、更正が秘められた訪問も、ネルリの母の、公爵への眼鏡違い（『虐げられし人々』）の如く、かわされ、以前の身（娼婦）へと去る。

主人公の弱者としての破滅は、リーザへの高尚な説教が、前述の友人たちに対する、鬱憤を晴らすためにあったと述懐する点や、リーザの前での涙ながらの長ぜりふ（みじめな夢想家の告白）の後、失地回復のため、新たな英雄のリーザを情欲で征服する点や、彼女への思い切りの際、動揺するが、今日の味方（許し乞い）が明日の敵（憎しみ）へという自己変化への恐れの点など、対象に足許をすくわれている観点は、第一、二エピソードに通ずるものがある。

彼女の無念の涙は、苦痛の利益（エゴ、浄化作用）の観点から拭き取られ、リーザに対する読者向けサービスに努めつつ、世界（現実）より、一杯の茶、平安を希求して、主人公は地下の世界へ舞い戻る。

さらに第二部（べた雪の連想から）では、初期作品群の第一の骨子である我がロマン派と現実の問題が、仏独の現実離れのそれと比較して論じられているが（第一節）、これは『地下生活者の手記』の集大成的位置であり、第二の骨子の弱者の破滅に関しては、同手記の第一部に、「自分の復讐の試みのために、相手よりかえって自分の方が百層倍も苦しんで、先方はけろりとすましているに相違ない」（第三節）とある。さらに自分への責めさいなみ（帰宅後の）が、甘い感じ（快楽）に変化する点（第二節）を指摘出来る、とあるのは以後の作品への過渡的性格の一断面を表わしている。

この断面を四十歳の主人公に託す手記（第一部、地下の世界）において見ると、十九世紀の人間として、無性格な存在を自任する我が片隅の人（夢想家）は、しゃぼん玉と惰性の全生涯を振り返り、意識主体の最たる憤怒も化学分解し、対象は霧散し、結局、自分の歯痛のようなものに変わってしまう（傍点筆者）。

我が二十日鼠は、自己の支柱とすべき根本的理由（基礎）を探索するが、無限に下向して、要は見つからず、徒労に終わる。

この探索は無駄には終わらず、直情径行的人間や開拓精神（若人のいちずさ）を手懸かりにして、平静に生き、荘重に死ぬ夢想家の表札をはずし、その殻を脱皮せんとする胎動が始まる。

第七節以下、自意識（苦痛、呪詛）と反合理（理性）、即ち意欲の旗印を高く掲げて、後期作品への橋渡し（現実生活の歩み）の任務を担っている。夢想家から現実への転換過程を把握しよう。

第二部（べた雪の連想から）のエピローグ的箇所で、「本書はもはや文学ではなく、懲治の手段」だと述べたのも、この過渡的性格（前期の創作の系譜の特徴が、対概念である、後期の間に、過渡期がある場合がある。移行の担い手と言ってもよいであろう。この過渡期を見つけることも、文学このからくりを探る上での重要なポイントとなって来る）を言い表わしているのであり、「祖国の土と国民的本質から切り離された」（第一部、四節）教養人の歯痛にも似た、「死産児、一般人」（第二部、エピローグの部分）の唸りから、生きた生活、実生活への指針が示されているようだ。

第四節　前期から『罪と罰』へ

『罪と罰』の思想、とりわけラスコーリニコフの思想は、一夜の内に、突如として生じたのではなく、ドストエフスキーの創作上の系譜から、これを読み取ることが出来る。『罪と罰』のスヴィドリガイロフと類縁関係にある者を求めれば、『虐げられし人々』のヴァルコーフスキイ公爵の名が浮かび、指摘されよう。

他者に評させると公爵は、淫蕩と悪業のモンスターということになる。公爵の強い生活力には、シニズムが人生哲学として横たわっているが、この現実主義の精神の萌芽は、さらに『地下生活者の手記』第二部の初めの方で開陳された、悪玉と現実へと、煮つめられる。

それに依ると、紛れもない悪党が、潔白な魂を持ち得、我がロマン派の中からは、絶えず、腕利きの悪玉が出て、驚くべき現実に対する敏感さを示す。(傍点筆者)

この箇所が、『地下生活者の手記』の集大成的性格に於ける、夢想家の地下世界から、現実の活動の舞台への移行の担い手を悪玉としているように、読み取れる点が、興味を引く。「悪行、悪玉」の権化たるラスコーリニコフは、敢然と殺人という行動に躍り出た。

次に、横光利一の『純粋小説論』では、自意識の問題（不安定な性格）が、『地下生活者の手記』の主題でもある。性格の背後に裏合わせに位置する現実への不安感、危機意識想起。

この『地下生活者の手記』の過渡的性格を文学史的背景（脈絡）で、紐解けば、次のようになる。

平野謙氏は『昭和文学の可能性』で、「横光利一はヨーロッパの十九世紀小説を措定する。しかしそこから十九世紀小説（客観小説）の決定論的人間観や性格の不変性（『十九世紀の人間として、無性格な存在を自任する我が片隅の人（夢想家）は、……』〈『手記』第一部《筆者註》〉）などという文学的仮説を打破すべく、ドストエフスキー（「不安定な性格」……シェストフの『地下生活者の手記』解釈）を先覚とするヨーロッパの二十世紀小説（ジッドの「現代個人主義文学——十九世紀自然主義思想の重圧の為に形式化した人間性を再建しようという運動及び相対主義の文学《筆者註》」）の問題に、横光はただちに突入する、という道すじが、中村真一郎の解釈する『純粋小説論』の方法論的骨骼に他ならない」と語る。（筆者が、大学院生時代、新谷敬三郎先生は講義で、『地下生活者の手記』は、論争の中から生まれたと語られたのも頷ける）

話を元に戻すと、老婆瀬踏みの翌日、ラスコーリニコフは、安料理屋のむだ話、即ち

「みずから決行するのでなければ、正義も何も存在しない!」を耳にして、そこに一種の宿命、啓示を感じ取る。一種の主体思想である。

ここに、マルクスの「フォイエルバッハ批判」(『ドイツ・イデオロギー』)を読み取るのは、早計かも知れないが、我が国でも、千葉俊二氏の指摘、即ち「『泡鳴文学は自己の霊と肉、言葉と行為、主義と実生活、つまり主観と客観が合一するところに全人的な真の自我も芸術も存在すると確信される』という二十世紀小説の先取り(現実世界との接触感を持たぬ十九世紀小説に比して)」との指摘(「岩野泡鳴全集」月報1)及び『憑き物』(泡鳴著)が参考になるかと思う。

いみじくも、『罪と罰』が世に出るまでには、「ペテルブルグ年代記」(一八四七年)や「ペテルブルグの夢」(一八六一年)や『地下生活者の手記』(一八六四年)でも良かったのであり、『地下生活者の手記』第一部で、「十九世紀の人間として、無性格な我が片隅の人(夢想家)は……」とあるが、この夢想家について、「ペテルブルグ年代記」で、ドストエフスキーは、「空想家は人生が自然と目前の現実の絶え間なき自己観照であることを知ろうとしない」と語る点を想い出したい。(傍点筆者)

以上、ラスコーリニコフ(『罪と罰』)の思想の一である、「現実への楔としての行動」を夢想家からの転換として開陳(展開)した。

第四章　我が読書遍歴

教養人、インテリ意識と反権力の共存に生きた漱石であるが、先ず、知識人意識（と読書）については、補足をしなければならない。

『彼岸過迄』の須永の「考えずに見ることが、一番、薬になる」とか、『行人』の一郎の「然し講義を作ったり書物で読んだりする必要があるために肝心の人間らしい心持ちを人間らしく満足させることが出来なくなってしまったのだ」とか、『こゝろ』のKの「今まで書物で城壁をきづいてその中に立てこもっていたような心が、段々打ち解けて」とかに、近代的知識人の病める自我の問題点と新たな展開点が開陳されていく。

以上、読書の弊害を説いた漱石であるが、この点、トーマス・マンが、『トーニオ・クレーゲル』で、藝術家気質を批判して、「認識の苦悩と驕慢（きょうまん）とともに孤独が訪れてきた」

（第三節）や「彼が現在の自分を作り上げた歳月を通じて一体そこに何があっただろうか――凝固、荒涼、氷結、そして精神、そして藝術であった」（第八節）と語っていることの延長線上にあると言える。

上記の漱石の読書への苦言は、芥川に於いても現われている。即ち「僕は、如何なる本を読むかといふことよりも、寧ろ大事なのは、如何に本を読むかといふことではないかと思ふ」「何者にも（世評、先輩の説とか、そういふ他人の批判）累らはされずに、正直な態度で読むがいゝ」「自己に腰を据えて（読者自身、面白い、詰まらないとか）掛からなければ、一生、精神上の奴隷となって死んで行く他無いのだ」（「読書の態度」――大正十一年）と。

以上の芥川の言説を総括すれば、次のようになるだろう。即ち、何事（読書）にも、知識偏重主義に陥ることなく、消化不良を起こさずに、主体的に本を読んで行かねばならない。しからずんば、本が主人公となり、人間が奉公人（精神的奴隷）に成り下がると警告しているのではないか。

一方、芥川は読書の功用についても触れている。

芥川龍之介の創作系譜上、後期の開始を告げる、「大導寺信輔の半生」（大正十四年）に於いて、「秋」（大正九年）に始まる中期リアリズムの系譜から、「本」の世界へという作風上の最後の転換があったとみてよい。

「大導寺信輔の半生」の中で、「この知的貪欲を知らない青年は、やはり彼には路傍の人だった。信輔は才能の多少を問わずに友だちを作ることは出来なかった。どういう美少年よりしっかりした頭脳の持ち主を愛した」と芥川は語る。「本」が知己の必須条件である。

この読書の功用は、学問に対する厳しさにも現われている。即ち「数学の出来ない中学生は、到底一人前の文藝家にならざることを覚悟せよ」(「文藝家たらんとする諸君に与ふ」)《大正八年三月》と芥川は語っていることも指摘出来よう。萩原朔太郎は、「芥川は優れた知性者か中学生程度の頭脳の持ち主」という山岸外史の批評を紹介している(「芥川龍之介の小断想」)。ちなみに、「本」の世界とは、精神生活を意味する。

以上の読書の功用と弊害についての漱石と芥川の所説を前提にしながら、筆者の読書遍歴を述べて見たい。

筆者は、小学校の頃は、あまり本は読まず中学校に入ってから、本に目覚め、高校時代に濫読し、大学に入ってからは、多読した。

中学時代は、世界文学を読み、高校時代は哲学書、大学時代は、社会科学書及び日本文学書を読み漁(あさ)った。

本を多読したのはいいが、学問（日本文学）は、大学の学部時代、モノにならず、劣等生であり、空しい気分で、学生生活を送ったものである。

大学院で、指導教授の学術紀要を参考にして、ドストエフスキー論を修士論文に選び、自分なりの、文学への見識、見解を持ったものである。その際、武器となったというか、威力を発揮したのが、学部時代、当時の金で二万三千円で買い求めた、米川正夫氏訳の『ドストエフスキー全集』であった。

ドストエフスキーを制する者は文学を制するをモットーにして、即ち、ドストエフスキー論という知的財産をベースにして、それ以来（後）、研究対象を主として、日本文学に移して、綴って来た三十年であったように思える。

修士論文を書く前は、本はいわば、「量」的に読んでいたのに対して、それ以後は、研究者として、質的な読書をして来た訳である。

芥川や漱石ではないが、本を至上主義に据えることに疑問を持って来た、人生である。ドストエフスキーやチェーホフの到達点が、それぞれ、「現実」「生活『欲』」であることを考えれば、現実の生活を「本」より上位に置きたいと考える。これは、トーマス・マンの問題意識（芸術・精神の世界より、市民生活（みのり豊かな愛情）を優先さす」にも合致する。

ここまで、質的な三十年の研究生活（読書）及び「本」より現実を上に置きたいなどと書いて、聞こえはいいし、きれいな感じを読者に与えるかも知れない。優等生的発言でもある。

実は、筆者の人生（読書生活）は、山在り、谷在りの紆余曲折の三十年であったように思える。決して、順風満帆ではなかった。

この三十年間に、ドストエフスキーみたいな、論理構造のある個人全集に出くわすことは、まれであり、事実、志賀、太宰、チェーホフについては、三十年前に、ある知識人から（大学の教員を含む）、その価値を封印されて、作家論作成への意欲をそがれた苦い体験を持っている。精神的価値への参与を塞がれた。

つまり、変な方向に、筆者は飛ばされたのである。文化戦線の厳しさを窺えるというものだ。（「本」至上主義の弊害はそれとして、後、「本」至上主義の精神性に共鳴して来た）

論理（科学）性の個人全集に遭遇するまで、何年ものブランクがあったり、その間、ムダ飯を食ったりの試行錯誤の三十年であったように思える。人生は順調には進まないのが持論。

ムダ飯を食い、順風満帆に行かなかった学研生活（読書）であったからこそ、若い人には、その轍をふませたくないと思い、一種の老婆心から、世に問うたのが、拙著『文学の学び方』（文藝書房出版）である。

ところで、三十年の学研（読書）生活で、コペルニクス的転回、晴天の霹靂、読書上の革命的事件となったのが、太宰治の「乞食学生」（昭和十五年）という小説と、芥川龍之介の「歯車」（昭和二年）という作品（社会的自我と芸術至上主義の一致）である。

後者については、後述したいが、前者の太宰の作品で、「労働者は自らを制することが出来ぬため、酒に溺れ、その為に身を亡ぼす危険が多い」と書かれている。つまり、太宰は、民衆を全面的には讃美してはいない。民衆を無条件に善であるという前提、論理には立っていない。民衆を被教育者とみなした。

左翼作家太宰治が、こう言っていることに、筆者は当時、カルチュア・ショックを受けた。学生時代以来、社会主義を信奉し、民衆（労働者、特に肉体労働者）を、あまりにも讃美し続けて来た筆者に、一種の反省をもたらしたのである。民衆にもいい加減な処があるという認識から、自己の存在を知る手掛かりとなった。思えば、筆者が、人生に於いて、ケガをして来たのも、肉体労働者たちのせいだと極言出来る。つまり、肉体労働者の社会的価値と人間的価値（人格）が必ずしもリンクしないのが問題点。この点、太宰やチェーホフが、「人間がかわらなければ、革命もあったものじゃない」と考え、未来の新しい幸福な生活には、民衆の教養が必要であるとの指摘が想起される。

最後に、晩年に至った筆者の心境であるが、芥川は「歯車」（昭和二年）で、「僕は何度も読み返した『マダム・ボヴァリイ』を手にとった時さえ、畢竟僕自身も中産階級のムッシウ・ボヴァリイに外ならないのを感じた」と語り、フローベールとの問題意識の共有の自負と一抹の寂しさを感じさせ、芥川やフローベールが、社会的自我に即ち、富貴にも、恋にも、欲にも未練がなく、芸術一筋（芸術至上主義）に邁進する覚悟をかためていたことを意味する（傍点筆者）。（平野謙著『昭和文学の可能性』参照）

芥川のフローベール流の問題点意識と共有していることへの、筆者の共鳴を覚えつつ、漱石の苦言、警句を肝に銘じつつ、筆者は残りの人生を、本（芸術）至上主義に於いて、生き抜こうと思う。晩年の芥川では、社会的自我と芸術至上主義は、表裏一体の関係にあり、矛盾するものではなかった点に着目したいと考える。（実生活にて「私」が死に、作品にて「私」が再生するというフローベールの問題意識を踏まえて）

以上、学生時代（正確には中学時代）から、現在に至るまでの読書遍歴を近代作家の言説と共に、開陳して来た訳である。

〔尚、本書の問題意識からすれば、ドストエフスキー文学の方法論のルーツの端緒となるべき、ルソーの『告白』『孤独な散歩者の夢想』（詳細は前述）〕を挙げねばならぬが、実は、筆者は、ドストエフスキー文学の方法論を、彼の作家論を構築する中で、じかに、体で感得したのであり、その際、有効となったのは、大学院の指導教授の学術紀要の存在であった（その紀要は、残念ながら、現在、筆者の手元にないが）。

いわば、この学術紀要が、哲学的原理の指針となって、自分のコツコツした研究と相まって、ドストエフスキー文学の方法論を会得出来たと言える。ドストエフスキー自身は、プーシキンから作家論の方法論に依る創作源泉を得ていた。

依って、ルソーの著作は、読者の方法論獲得のための便宜的な方向を示したものであり、あくまで、事後的整合性を満たし得るものとなっていることに留意したい。尚、ドストエフスキーの『作家の日記（八〇年）』の「プーシキン論」（オネーギンの夢想家、リアリストのタチアーナという方法論の明示の際）で、ルソーへの言及（「自然」と「社会」）が見えることをも指摘して置きたい。

最後に、今から二百年以上も前に、一八世紀の人ルソーが、学問（の方法論）の始祖たる先駆的業績を上げていたことは、特筆せねばならない。このことを我が国で初めて、紹介したのは、第一章でも書いたが小林秀雄氏である。最近の筆者の研究に依ると、同論文「プーシキン論」に方法論の元祖シェイクスピアの記述が見えることにも言及して置きたい。

第五章　文学への誘い

太宰治は、民衆の教化を唱えて、文藝による民衆の精神の改造の必要性を主張した。民衆を被教育者とみなし、労働者＝民衆の真の人間的解放（教養に依る――文学の方法論を含む）、つまり、人間精神の内的変容による、人間の誇り、尊厳の実現を目指したものである。

太宰は「返事」（昭和二十一年）で「魯迅先生は、所謂『革命』に依る民衆の幸福の可能性を懐疑し、まず民衆の啓蒙に着眼しました。……教養の無いところに、真の幸福は絶対に無いと私は信じています」（傍点筆者）と、語っている。

チェーホフも、教養について語っているので紹介しよう。

『いいなずけ』（一九〇三年）では、『三人姉妹』で提示された、「未来の新しい幸福な生活」は、実は、「教養」に依って、実現されることが先ず、明らかになる。

サーシャはナーギャに語る。即ち「教養のある、清らかな人たちだけが好ましいのだ、そういう人たちだけが必要なんだ。そういう人たちがふえればふえるほど、この地上に神の王国が訪れるのが、それだけ早くなるんだ」（『いいなずけ』《第二節》）と。

このことは、『いいなずけ』に先だつ『三人姉妹』（一九〇〇年）でも示されている。即ち、「一体に文官のなかには、がさつで無愛想な、教養のない人がとても多いですわ。がさつな人を見ると、私はむかむかして、腹が立ってきますの」（第二幕）と。

このことは、「ノートの梗概に取りかかると、穏やかで安らかな、むらのない気分が戻って来るような気がした」（チェーホフ『黒衣の僧』〈第九節〉）ことと対照的に指摘（繊細さの暗示）出来る。

そもそも、『三年』（一八九五年）から『桜の園』（一九〇三年）までの世界は、高次元の生活を標榜したものであった。『すぐり』（一八九八年）で、単なる生活の幸福でなく、もっと賢明な、偉大なものの中に人生の意義や目的があると指摘された。

この場合の高次元の生活の世界が、教養（人）に依って実現されると、既に述べたが、さらに、「自由人」も未来の新しき幸福な生活の担い手になることと、即ち「自由人」（独立不羈の人間と相まって）も「教養人」と同列に加わるべき要因と見なした。即ち、

『いいなずけ』で、「早くその新しい、明るい生活が来てくれたら！　そうすれば、自分の運命を真っ直ぐに大胆に見つめて、自分が正しいという自覚を持ち、朗らかな自由な人間になることができるだろうし」（第六節）と自由人への期待を込める。

太宰もチェーホフも、主として、教養（人）を未来社会の礎（いしずえ）になると主張する。

特に、チェーホフの場合、教養の実体は、知性、科学、文学の方法論であったことは特記されねばならない。『曠野』（第二節）で、実体（独立不羈）は「精神の糧（かて）」と、語っている点を想起したい。

ちなみに、ナロードニキが権力の問題（八一年の皇帝暗殺と弾圧強化）にウェイトを置いていたのに対して、チェーホフは、革命後の民衆（国民）の精神の在り方を問題にし、力点を置いていたことの違いが指摘されよう。（傍点筆者）（但し、革命に依る死を潔しとする面もあるが）

太宰もチェーホフも、未来（二、三百年後）の新しい幸福な生活の実現に期待感を抱いている。太宰もチェーホフも社会制度万能主義は採らなかった。

その際、両者とも、民衆を全面的には讃美していない点に着目したい。このことは、芥川が、レーニンに関する傾向詩を書き、後に「或阿呆の一生」（三十三　英雄）で、「誰よりも民衆を愛した君は、誰よりも民衆を軽蔑した君だ」と、再録している点でもある。

「ロシアでも、ドストエフスキーが、土地主義に込めた意味の一つに、全国民（教養階級と民衆）の精神的和解（『ロシア文学について』）（一八六一年）というのがある。両階級の溝渠（こうきょ）を埋める有力な方策の一つとして教養の普及を説き、科学を根づかせるには、科学の真の保持者の独自の態度とシステムが必要であり、学問全体の力で感化すると言う。文藝と科学の違いはあるが、太宰とドストエフスキーとの興味ある一致であろう」

『暗夜行路』前編で、謙作はお栄から、日本の小説家で誰が偉いと訊かれ、「西鶴です」と答える。その理由として、弱々しい反省や無益な困惑に絶えず苦しめられている彼は、「西鶴には変な図太さがある」と考えるからであった。書くこと（精神の強いリズムで）や西鶴を読むこと（ひきしまったリズム）が、プロレタリア文学を読むより力になるなどと言うと、左翼の人から叱られるかも知れないが。ここでは、太宰の言葉、即ち「……教養の無いところに、真の幸福は絶対に無いと私は信じています」（「返事」〈昭和二十一年〉）と語っていることを再び、引用したいのである。

つまり、書くことで、繊細さと、精神の厳しさと精神の潤いが養われるのであろう。

太宰は芥川と同じく、社会制度万能主義は採らなかったと言えよう。但し、太宰は「僕は革命の党員ではないけれども、卑怯な男ではありません。僕はあの人たちと一緒にいつでも死ぬ覚悟を持っていますす」（『惜別』）と語る。

次に、「文学への誘い」に於ける、技術的観点に移ろう。先ず、「ノートと解釈書」から始めよう。

個人全集が手にはいっても途方に暮れてしまう。さきに、創作系譜が二分されると言ったが、実は、個人全集、作家の創作系譜を貫く、普遍的原理、即ち哲学が明らかにされないと、文学研究は息詰まってしまうのである。創作系譜を貫く哲学を示した、著書はめったに見られない。大学院の学術紀要や大学の先生の片言（講義中の）、研究者・文芸評論家の著書を、丹念に読み、嗅ぎ付け、盗み取らねばならない。それ程、文化（文学）戦線は厳しいものである。創作系譜を貫く位相、即ち哲学（抽象的命題）と具体的作品との間の、交互作用（弁証法）の把握が重要である。

著名な研究者や文藝評論家と違って、我々庶民は、言葉は悪いが、出来ることが限られている。それは、作家論というノートを作り、論文にまとめ上げて、それから、それを基にして卓越した（格調の高い）研究者の文献、解釈書に親しみ、賞味して、精神生活をエンジョイすることしか能がないのである。これは、我々多数の庶民に言えることである。

我々庶民は思想家ではない。ぜひ個人全集を読んで、自らの手で作家論（作品論を含む）を、掴み取った後に、思想家、著名な研究者の著書に接して行こうではないか。但し、個人全集と言っても、誰でもいい訳ではない。論理構造・科学性のある、個人全集を選ぼう。

ドストエフスキーに対して、シェストフ、漱石に対して、江藤淳がおり、太宰に対して、奥野健男がおり、室生犀星に対して、中野重治がおり、透谷に対して、色川大吉がおり、芥川龍之介に対して、三好行雄がいる。

解釈書を読み、その箇所の評価解釈は妥当であるが、この指摘は当たらないとか、我々はノートを作っているので、この楽しみ方が出来ると思う。これが、文化の参与の仕方であり、文化活動と言えるであろう。そしてこの方法が、我々の精神生活の潤いになり、生きがいも生まれてこよう。今度、金がはいったら、金がたまったら、全集を買って見よう。即ち、あの作家を一度やって見よう。そして、ノートを基にして（作家論の構築それ自体でも力になる）、解釈書を利用して、楽しもうという気持ちになるのである。

思想家、研究書（解釈書）を利用すると言ったら、語弊があるが、それはともかく一級の研究者の著わした、格好の入門書である、「新潮日本文学アルバム」シリーズをお薦め出来るし、先ず図書館で閲覧されたい。

我々庶民は、言葉は悪いが、九十九パーセント、凡人である（『罪と罰』で、意味は違うがドストエフスキーは、「凡人」「非凡人」を区別した）。かつて、岩波茂雄が、岩波文庫の後書きで、「読者子に寄す――岩波文庫発刊に際して――」として、「今や知識と美とを特権階級の独占より奪い返すことは常に進取的な民衆の切実なる要求である」と語ることを、引用して置こう。

先ず、「新潮日本文学アルバム」で、作家論全体を見渡し、主要作品（及び評論）の存在を把握すべきである。

〔後期作品論の作成〕　後期の文学の特徴付けが出来たら、作品論として、後期の三つか四つの作品をまとめて見るのも、論文を書く際に、大事である。それは、作家論の骨格を成すものであり、文学修得上、大きな仕事である。

〔主義と事件の把握〕　創作系譜の特徴付けが済んだら、作家論のサイド面として、作家の主義と事件をおさえることが重要となって来よう。作家の生涯における、事件と主義（イズム）をおさえることは必要である。作家論を構築する際に必要となってきて、主義は、主として、作家の生前の雑誌を、事件は、作家の日記、書簡を参照するとよい。

主義、事件を考察することは、作家の全体像を明らかにすることに寄与するものであり、いずれも、個人全集に収まっている。

〔手法と構造について〕　これは、作家論における、芸術上の問題であって、これも重要な研究分野である。

作家の小説における、手法と構造を探索するものであり、これは、具体的な実証的な考察が、必要となって来る。

但し、作家論の研究書や文学史に於いて、この芸術上の問題を、さも、その作家の文学の全体であるかのような著書も見受けられるのであって、読者は注意してかかわらねばならない。（手元に「週間読書人（二〇一四年九月二六日号）」に、千葉俊二氏と清水良典氏との対談〈「谷崎潤一郎の物語性」〉というのがあり、興味深く読んだ）

一つ一つの作品を、前期（初期・中期）から始めて、後期まで丹念に、忍耐強く、論じて行かねばならない。つまり、実証的精神が要求される訳である。

作家の作品の創造上の秘密を、解き明かさんとする試みは、辛（しん）どいが、やりがいのある仕事である。（「作品ノート〈草稿〉」というのもある）

芥川じゃないが、「美学の本さえ読めば、批評家になれると思うのは早計である」（「芸術その他」）をここで引用して置こう。

高田瑞穂氏の、「芥川の美意識」という論文もあるのであって、芸術理論（美学）と作品とは相互関連があり、具体的個別的作品を媒介にした美学（芸術論）が、重要である。

本書の終わりに、図表『主要作家論研究一覧表』を示したが、漱石の場合、手法（イプセン流）、構造（三角関係、短編の重ね合わせ）、芥川の場合、手法（新理知主義）、構造（筋のない小説、小説展開の論理）、ドストエフスキーの場合、らくだ型構造、及び手法（黄金時代の描写）などがある。

〔作家の世界観〕　作家は、それぞれ、自己のイデオロギー、世界観を持っており、論文を書く際にも、結論として、これを取り上げる必要がある。

世界観は、作家の随筆や作品にちりばめられているのでこれを丹念に読み、明らかにせねばならない。作品と時代との考察（関係）も一助となる。

読者は、作家の政治的立場に依って、文学作品を選び、作家論を構築するものである。

〔作品論の攻略法〕　作家論を書く場合、一章を設けて、作品論（特に後期）を作成することは重要である。

後期作品論を展開するにあたって、三つか四つの大きなまとまった作品を論ずるのであるが、作品には、単一的テーマを模索すべきではない。（長編）作品は、複合的多義的主題を持っているのであって、一つの作品にはいくつもの論ずべき要素があるのである。

作品論の攻略法、学び方として、次の二つが、大きな武器となるであろう。第一に、「A（という人物）とB（という人物）との関係」という分析トゥール（道具）と、第二に、作品の複合的要素という観点（視点）である。

第一の関係概念は、例えば、小説上、「理論に対する実践の優位」の場合、それを浮き彫りにするために、具体的な人間関係（小説上の）において、示す方法である。

その他、作品論に於ける科学性として、以下、小説の非科学的信仰観に抗して述べて見たい。抽象的一般命題と具体的作品の相互規定の妙を、以下、御覧じあれ。本書の第二章での「文学の科学性について」でも述べたが、例えば、芥川の『羅生門』の「形而下の世界」、『奉教人の死』の「無私の愛」、『枯野抄』の「解放の喜び」や漱石の『こゝろ』の「恋愛と人間性」や太宰の『走れメロス』の「精神的同一性」「友情と恋愛」や志賀直哉の『城の崎にて』の「静――静かな調和の位相として」や谷崎潤一郎の『痴人の愛』の「西洋的な美の位相として」やドストエフスキーの『白痴』の「抽象的命題」及び『大審問官伝説』の「手帖」などに於いて、相互規定（抽象と具体的作品）が見られる。

話を元に戻すと、第二の複合概念は、小説における「思想・イズムの体系」と「筋の展開（事件などの）」を示す方法である。

第一の方法について補足すると、抽象概念を具体化、具体性を帯びさせるために、小説に於ける人間関係で示す方法ということになる。

第二の方法について補足すると、小説の作品にはいろんな要素が有するということになる。

個人全集が手に入って、第一回目は素読み(すよ)でよいが、第二回目は、かなりの問題意識を持って読み込むべきである。問題意識に依って、論文で取り上げる個所に出くわしたら、メモって置いて、ページ数(巻数)――書簡や評論や後期作品――も控えて置くとよい。

作家論を書く際に、ザルから水がもれないように、逐一、書き出すことが必要である。ポイントとなる個所の略述を試みる場合、その前提の作業として、次のことが掲げられよう。

第一に全集を読み進めて行く場合、大事なところに鉛筆かボールペンで、本文に傍線を施す作業を行って頂きたいと思う訳である。

第二に、作品(本)の上部の空白欄に、要点(事件、場面)を、短く書いた小見出し(項目)を書き出して置くとよい。

第三に、傍線を施したページを小さく、折り曲げて置く(特に重要な個所のページ)とよい。

〔前期と後期の文学の特徴付け〕　特徴付けの方法として、個人全集における創作の系譜の後ろ半分をまず、勉強して、それから、前半を読み、対比して捉え、最後に後半を読むとよい。すると、後ろ半分が、始めに見た時と違って見えて、後ろ半分の文学の特徴が、浮かび上がって来る。前半と後半とは反対（対立）概念である場合が多い。夢想家と現実、ロマンチシズムとリアリズム、動と静、闇と光、虚無主義と生活、抒情・随筆的世界と現実的世界など。

この操作によって得られた、後半の文学の特徴が、その作家の文学のガイスト（精神）であり、前半分は、その時点で、消滅する。

こうして、作家の特徴付けが完了し、文学の「からくり（方法論）」が解明されれば、論文（作家論）の七割を書けたも同然である。

〔補足すると、骨格が把握出来なければ、作家論全体の試み（構築）は望めない。作家論に於いて、方法が解れば力を発揮出来る人は、世の中に、多いことよ〕

最後に、若い人に提案したい。三年間で卒業単位を全部取り、四年度時で論文作成へ。あるいは、大学生活は四年間でなく、五年間で（修士の学生は二年間でなく、三年間で）卒業されることをお薦めする。

つまり、一年間、大学を休学（業）して、学問（文学）のからくり（方法論）を修得、獲得すべく、作家論作成（主として個人全集で）に精神を傾注（没頭）すべきことを提案したい。

その休学（業）中の一年間は、授業は言うまでもなく、学友との交際やアルバイトを一切断って、作家論構築に邁進、没頭することが肝要である。

大学の先生は、権威をちらつかせながら、政治運動（活動）ばかりしている。学生に対してソフトな顔つきをしながら、腹の中では、「学生なんかに文化を与えてたまるものか」と考えている。但し、左派系の教員は断片的には教えるが。文科系の学生は放って置かれる。

故に、大学に期待するのは、間違っている。他力本願ではなく、自らが文化（教養）の担い手となるんだという意識を、持ちたいものだ。

一年で、一生の精神生活が救えるものなら安いものである。休学が就職に影響するかも。この提案は、主婦や定年後の労働者にも行いたい。

ちなみに、筆者の文学方法論の獲得の軌跡を示せば、「ドストエフスキー論＝修士論文」を完成するまでに、一日、原稿用紙一枚を書くのに十時間かかり、それを三百日くらい、続けたであろうか。そして、方法論を発見した。

その際、言って置きたいことは、大学教授の学術紀要や方法論を織り込んだ著述（一部の大学の教員の）や本書の『作家論研究一覧表（一望）』を参照、参考にして、書き進めて行って貰いたいということである。文学史も然りである。

ドストエフスキーを制する者は文学を制するをモットーにして、即ち、ドストエフスキー論（米川正夫氏訳の『ドストエフスキー全集』を使って）という知的財産をベースにして、それ以後、研究対象を主として日本文学に移して、綴って来た三十年であったように思える。それまで、量的に勉強してきた文学から、文学そのものへの見識、見解を持った。

第六章　文学マスター法と目的

文学研究に際しては、先ず、（科学性、論理構造のある）個人全集を手元に置くべきであろう。全集なら誰でもよいという訳ではない。

筆者が、学問（文学）が出来なかった時は、個人全集に、精神生活の救いがあるとは、夢にも思わなかった。

文学研究には、作品論、作家論、文学史の三種類があるが、どの分野も、個人全集が前提となって、為されるであろうことを、先ず、銘記すべきである。

実は、個人全集、作家の創作系譜を貫く、普遍的原理、即ち哲学（位相）が明らかにされないと、文学研究は息詰まってしまうのである。

前期では、創作系譜を貫く位相の把握が重要である。

本書の第一章（ルソー・透谷の意義）でも述べたが、問題意識となるべき、創作系譜を二分（ぶん）する、特徴となる「キー・ワード（対立概念）」の意識化、把握が絶対、必要となってくる。

本章の付録「作家論研究一望」を参考にして頂ければ、望外の喜びであり、文学研究（作家論）に有効性を発揮することを確信する。

その中で、位相、転換点、到達点の把握が、学習上、個人全集の骨格を掴むことで、個人全集への応用、適用とすべき試みが為されると思う。詩人（全集）でも分岐点はある。エセーニン、中原中也など。

しかも、創作系譜を貫く位相、即ち哲学（抽象的命題）と具体的作品との間の、交互作用（弁証法）の把握が重要である。

次に、文学マスター法の根幹を成す、文学の方法論の把握の重要性を指摘したい。

チェーホフ文学（の方法論）は、生（いき）地獄、虚無主義から生活『欲』（『六号室』など）へと転換し、さらに高次元の生活の世界へと転移したが、この高次元の生活の世界の実現は、新しい幸福な生活（『三人姉妹』）を目指すものであった。その実現の手段として、「文学の方法論」（教養の一つとしての）がクローズ・アップされてくる。

ここで、チェーホフの『黒衣の僧』の「編集の仕事の梗概を書き込んである一冊のノートを取り出して、仕事に取りかかった。穏やかで安らかな、むらのない気分が戻ってくるような気がした」(第九節)であるが、そこでは、繊細さとノートの関係が論じられ、このことは、ゴーゴリの書簡(一八四八年)で、「芸術とは魂に均整と秩序をもたらすことである」との指摘を踏襲したものと言えよう。つまり、文学の方法論把握(位相、転換点)に依る精神的価値への顕現が、枠組的構造と相まって、果たされることを意味する。

ちなみに、ゴーゴリは、作家論の方法論に依る創作源泉を、プーシキン(『エヴゲーニイ・オネーギン』を念頭か)から得ていたのである。即ち、ゴーゴリの一八二四年十月一日付父宛の書簡で、「最愛のお父さん! 新たなバラードとプーシキンの長詩『オネーギン』のことに触れておられますが、これらもお送りいただけないものでしょうか」と書いている。(『オネーギン』は夢想家からリアリストへの転換を図る——筆者註)

話は元に戻るが、一八四八年の書簡で、ゴーゴリは、「読書していると魂はバランスよく調和がとれてきますし、読後は満ち足りた気分になります」と書いているが、チェーホフの「ノートと繊細さ」及びゴーゴリの「魂に均整と秩序」の方が、ゴーゴリの読書論(単なる賞味)よりも、一歩、進めた形になっており、つまり、方法論を含む文学研究(ノ、ト・記述化）の方が、「精神的厳しさ・潤い」をもたらすと言えよう〔筆者註〕（傍点筆者）。

最後に、文学マスター法の効用、目的について述べて置きたい。

先ず、文学を学ぶ目的と目標について、漱石の言葉、即ち「……一歩進んで全然その作物の奥より閃き出づる真と善と美と壮に合して、未来の生活に消え難き痕跡を残すならば、なお進んで還元的感化の妙境に達し得るならば、文藝家の精神気魄は無形の伝染により、社会の大意識に影響するがゆえに、永久の生活を人類内面の歴史中に得て、ここに自己の使命を完とうしたるものであります」（『文藝の哲学的基礎』）を引用して置きたい。

以上の、漱石に於ける、文学一般の目的、目標に続き、筆者が敢えて指摘したい、「文学の方法論」（教養）の効用、目的（書くことを含む）について述べて見たい。

第一に、志賀直哉であるが、（小説を）書くこと（精神の強いリズムで）や西鶴を読むこと（ひきしまったリズム）が、プロレタリア文学を読むより何百倍も力になる（随筆『リズム』）などと言うと、左翼の人から叱られるかも知れないが、ここでは、太宰の言葉、即ち「魯迅先生は革命に依る民衆の幸福の可能性を懐疑し、教養の無い処に、真の幸福は絶対に無いと私は信じています」(「返事」)と。語っていることを再々度、引用したい。(但し、太宰は革命に依る死を潔しとする面もあるが)

第二に、高校時代のS先生の言葉、即ち「文学が解ると全て(みんな)良くなる」「文学(本)は賢くなるためにあるのだ」や大学の卒論時の高田先生の言葉、即ち、「文学が解るのは人間が解ることだ」も想起されよう。

第三に、チェーホフの『黒衣の僧』の「永遠の真理」(「神の王国」即ち「数千年のよけいな闘争や罪や苦しみからの解放」「一切を思想のために捧げること」)及び(「永遠の生命の目的は認識さ」)を想起せよ。

後者(永遠の生命の目的)を敷衍(えん)すると、チェーホフは、「永遠の生命は認識のために数かぎりない汲めども尽きぬ源をもたらす」(『黒衣の僧』——第五節)と語る。(傍点筆者)

この「認識」は、チェーホフの場合、科学的認識とも一応考えられるが、実は、文学の方法論と置き換えてもいいと思う。後の「梗概を書き込んだノート」(第九節)参照。

文学の方法論を会得することによって、人間関係や人生及び社会の処し方などに対する、「精神的厳しさ・潤い」を獲得することが出来、人格形成に資することになるのではないか。(傍点筆者)

第四に、「精神の糧は、実体として独立不羈を保ち、魂を養ってくれます」（チェーホフ『曠野』第二節）ことも指摘されよう。

第五に、未来の新しい幸福な生活の担い手を、チェーホフは教養人と自由人とした。自由人の意義について、チェーホフは、『いいなずけ』（一九〇三年）で、次のように語っている。即ち「一人ひとりの人間が信仰を持って、何のために自分が生きているかを知って、誰ひとり群衆に頼ろうなどとは思わなくなるからです」（第二節）のサーシャの発言であり、個人の主体性、独立不羈の精神の持ち主を言うのである。さらに、同書で、「早くその新しい、明るい生活が来てくれたら！　そうすれば、自分の運命を真っ直ぐに大胆に見つめて、自分が正しいという自覚を持ち、朗らかな自由な人間になることができるだろうに」（第六節）と自由人への期待を込める。

結論として、「教養のある、清らかな人たちがふえればふえるだけ、この地上に神の王国が訪れるのが、それだけ早くなるんだ」（『いいなずけ』）（第二節）が掲げられ、そのことは、文学マスターがユートピア（理想郷）への実現化を促す。

究一覧表』その1

手法・構造	世界観	参考文献
思想家の文学形象への転化 黄金時代の描写 らくだ型構造 プーシキン	宗教的民衆主義 (革命形態)	『ドストエフスキー全集』米川正夫訳（河出書房新社） 『ドストエフスキーの世界観』ベルジャーエフ著作集第2巻（白水社）
実験小説 リアリズム ドストエフスキー プーシキン	硬派的社会主義 (辛辣な民衆主義)	『太宰治全集』(S.50)〔筑摩書房〕 『新潮日本文学アルバム19』 『太宰治論』奥野健雄〔新潮文庫〕
新理智主義 リアリズム 筋のない小説 小説展開の論理 ドストエフスキー	心情的社会主義	『芥川龍之介全集』(S.52)〔岩波書店〕 『芥川龍之介論』三好行雄〔筑摩書房〕
プーシキン 無思想性 リアリズム 相互理解のすれちがい	革命後の国民の精神 (未来の新しい幸福な生活) 教養人と自由人 神の王国（地上に）	『チェーホフ全集』(S.43)〔中央公論社〕 『チェーホフ上・下』川崎浹（紀伊国屋新書） 『私のチェーホフ』(『佐々木基一全集第5巻』)（河出書房新社）
リアリズム 私小説 チェーホフ ゴーリキイ	社会、思想への傍観 小林多喜二と立場は違う (多喜二全集推薦文) 七年間のキリスト教への入信。	『志賀直哉全集』(S.47)〔岩波書店〕 『新潮日本文学アルバム11』 『志賀直哉』高田瑞穂 (学燈文庫)

図表『主要作家論研

	前　期	後期（開始）	主義と事件
ドストエフスキー	夢想家（と現実） （『白夜』） 弱者破滅の系譜 （『プロハルチン氏』） （『伯父様の夢』）	行動としての現実 （『罪と罰』） 生活としての現実 （『白痴』）	土地主義 ペトラシェーフスキイ事件
太宰　治	ロマンチシズム（と現実主義） （『思ひ出』） （『ダス・ゲマイネ』）	リアリストの登場 （『正義と微笑』） 生活能力欠如者としての自己嫌悪	キリスト主義 情死事件
芥川龍之介	（初期の世界を省略） 中期リアリズム （写実的世界） （『秋』『トロッコ』）	「本」の世界 （精神生活） （『大導寺信輔の半生』）	芸術至上主義 厭世主義
チェーホフ	ユーモアとペーソス （教訓の世界） 「唯一の手段」「安全マッチ」 「将軍」「結婚式」 「悲しみ」	客観主義なリアリズム 中期の（『曠野』）（『ともしび』）（『退屈な話』）（虚無主義）から 後期の生活『欲』（『グーセフ』）（『決闘』）（追放されて』）（『六号室』）へ転換	科学的精神・唯物論 ペシミズム 医療活動 サハリン島旅行
志賀直哉	動（戦い）――反抗―― 「或る朝」 「大津順吉」 「范の犯罪」	静（調和）（中期の世界） （生命観・家族愛） 「城の崎にて」 「好人物の夫婦」 「和解」 「暗夜行路」	エゴイズム肯定 「范の犯罪」 「佐々木の場合」 山手線での事故 父との衝突

究一覧表』その2

手法・構造	世界観	参考文献
志賀直哉 ボードレール 「資本論」 ドストエフスキー ゴーリキイ	志賀直哉の影響 川端康成との交際	『梶井基次郎全集』 （1999年） 〔筑摩書房〕 『新潮日本文学アルバム27』
暫定的リアリズム （復讐の文学） 街の文学	（人生観）再生の文学	『室生犀星全集』（S.39） 〔新潮社〕 『犀星の暫定的リアリズム』 『広津和郎全集』 第9巻所収 〔中央公論社〕
	キリスト教的社会主義 民衆主義 共和制	『透谷全集』（全3巻） 解題 / 勝本清一郎 〔岩波書店〕（1950年） 『北村透谷』色川大吉 〔東京大学出版会〕
リルケ「マルテの手記」 モーリアックの小説論 （現実の置き換え） プルースト	非自然主義 非現実的	『堀辰雄全集』（S.52） 〔筑摩書房〕 『新潮日本文学アルバム17』 『堀辰雄』高田瑞穂 〔明治書院〕
肉体的恐怖からの 神秘幽玄。 郷土的（東京）な事 文章の完全さ。	（人生観）人間美を歌う ために生まれて来た。 ――「神童」――	『谷崎潤一郎全集』（H.27） 〔中央公論社〕 『谷崎潤一郎』高田瑞穂 〔市ヶ谷出版社〕

図表『主要作家論研

	前　期	後期（開始）	主義と事件
梶井基次郎	抒情（闇への） （『城のある町にて』） （『過去』） 闇の世界（虚無） （『檸檬』）（『Ｋの昇天』） （『ある心の風景』）（『蒼穹』）	（『闇の絵巻』）（『交尾』） 光明的なもの （生への渇望）	主観主義 労働者との共同生活計画
室生犀星	抒情的世界 （『愛の詩集』） 随筆的世界 （『庭を造る人』） （『芭蕉襍記』）―過渡期	現実的世界 （『あにいもうと』）	
北村透谷	現実主義 （『蓬莱曲』）	写実的イデアの世界 （ロマンチシズム） （『内部生命論』） 『人生に相渉るとは 何の謂ぞ』（序曲）	厭世主義 大阪事件
堀　辰雄	私小説時代 （『聖家族』） （『ルーヴェンスの戯画』） 及び『美しい村』『風立ちぬ』 私小説時代 受動的な運命の享受――節 子。菜穂子。	『物語の女』『菜穂子』 主体的夫婦愛 『かげろふ日記』に媒介さ れる。 能動的に運命を――	大和行 喀血・発熱（入院） 矢野綾子との婚約
谷崎潤一郎	初期から中期へ （静・東洋的な美）から 「動・西洋的な美」へ ――「支那趣味 　　　ということ」―― 『金と銀』『痴人の愛』（中期）	中期から後期へ 『吉野葛』『春琴抄』が 転換点。 「動・西洋的な美」から 「静・東洋的な美」へ ――「藝談」――	感性美 空想の世界

付録「作家論研究一望」

三十余年、綴って来た現在、言えることは、論理（論理構造・科学）性のある個人全集を選ぶべきだという筆者の信念である。

その点に関して、トルストイ、二葉亭四迷、森鷗外、永井荷風、三島由紀夫、埴谷雄高、泉鏡花を卒論、研究論文のテーマに選んでも、必ずしも識者から、「あの人は文学が解っているなあ」とは言われないと思うが、他方、ドストエフスキー（『罪と罰』が転換点。夢想家（と現実）、弱者破滅の系譜（前期）。「行動としての現実」が到達点。「生活としての現実」（『白痴』）も重要）、チェーホフ（『グーセフ』『決闘』『流刑地にて』『六号室』が転換点。生地獄・虚無主義から生活へ。「生活『欲』」が到達点）、プーシキン（『エヴゲーニイ・オネーギン』に転換点が凝縮。夢想家オネーギンからリアリストのタチアーナへ。リアリズムが到達点）、ゴーゴリ（作品集『アラベスキ』や『鼻』『外套』が転換点。『ミールゴロド』は過渡期。浪漫主義からリアリズムへ。写実主義が到達点）、レールモントフ（『現代の英雄』が転換点。ロマン主義からリアリズムへ）、ゴーリキイ（ロマン主義からリアリズムへ。『フォマー・ゴルデーエフ』が転換点）、ヘッセ（初期抒情詩（『ロマン的な歌』など）や『車輪の下』〔ロマン主義（神学校生）からリアリズム（鉄工職人）への転換点凝縮〕から、『荒野の狼』及び『デーミアン』へ。現実世界と自己実現が到達点）、トーマス・マン（『トーニオ・クレーゲル』に転換点が凝縮。芸術家気質から〔市民〕の人間愛へ）、ゲーテ〔『ヴィルヘルム・マイスター』が転換点。古典主義（『タッソー』『イフィゲーニエ』）からロマン主義へ〕、太宰治（『正義と微笑』が転換点。ロマンチシズム（と現実主義）からリアリストへ。金銭獲得者が到達点）、北村透谷（『内部生命論』が転換点。現実主義（『蓬莱曲』）から写実的イデアの世界（浪漫主義）が到達点）、梶井基次郎（『闇の絵巻』が転換点。闇の世界（及び闇への抒情）（『Kの昇天』及び『過去』など）（虚無）から光（生への渇望）へ。「光明的なもの」が到達点）、芥川龍之介（『大導寺信輔の半生』が転換点。中期リアリズムから本へ。「本（精神生活）」の世界が到達点）、中原中也（詩「いのちの声」が転換点。浪漫主義から現実へ。「現実生活」が到達点）志賀直哉（『城の崎にて』『暗夜行路』などが転換点。動（戦い・反抗）よりも静を、「静――静かな調和（和解の人）」が到達点）、井伏鱒二（『黒い雨』が転換点、空想（なつかしき現実）から事実へ。「ルポルタージュ」が到達点）、堀辰雄（『菜穂子』が転換点。私小説時代から主体的夫婦愛へ）、横光利一（『機械』が転換点。感覚から心理へ。人間心理が到達点）、谷崎潤一郎（『金と銀』『痴人の愛』などが転換点。「静的なもの」「東洋的な美」から「動的なもの」「西洋的な美」へ）、萩原朔太郎（『氷島』が転換点。ロマンチシズムからリアリズムへ。「実在への郷愁・虚無の人生論及び歴史性」が到達点）、宮沢賢治（詩「永訣の朝」が転換点。宗教心（恋愛・性欲、現世利益）から哲学的境地へ。哲学的境地〔理不尽なこと〕（妹トシの病死）が到達点）、島崎藤村（詩――浪漫主義――から『破戒』へであり、「リアリズム」が到達点）、中野重治（浪漫主義的詩――哀憐（れん）・政治から、小説『少年』『交番前』へ。「現実世界」が到達点）、田山花袋（『野の花』『名張少女』の〔センチな〕抒情的美文小説から、『蒲団』以後の無技巧的な現実暴露小説へ）、広津和郎（『神経病時代』『風雨強かるべし』『狂った季節』の無力的虚無感との格闘時代から、『泉へのみち』の「楽天的な気持ちへ」）、牧野信一（ロマン主義〔夢と現実、精神的享楽主義〕――『村のストア派』『ゼーロン』から、リアリズムへ――現実の生々しい姿の露呈の作品即ち『裸蟲抄』『痴日』へ）などを誰でも一人、卒業・修士論文や研究論文に、テーマとして選べば識者から「あの人は文学（の方法論）が解っているなあ」と評価されると確信する。

依って、ドストエフスキー一人（論理・科学性のある個人全集なら誰でもよい）をやって、位相、転換点、到達点を知ることで、作家論の構築の手懸かりとなることを銘記すべきである。

〔補遺〕ハイネ（ロマン主義から写実主義へ。ヘッセ、中野と類推可）、葛西善蔵（『子をつれて』が転換点。夢想家から現実へ。「現実世界」が到達点。〔ドストエフスキー文学の方法論との類推可〕）、室生犀星（『あにいもうと』が転換点、抒情的世界（『愛の詩集』）、随筆的世界（『庭を造る人』）から、現実的世界（『あにいもうと』）へ。リアリズムが到達点）、正宗白鳥（創作系譜の位相（哲学）として、「不安の文学」）、夏目漱石（位相として、恋愛の光明面即ち『虞美人草』『それから』、恋愛の暗黒面・悲劇性即ち『門』『彼岸過迄』『こゝろ』で、恋愛に於いて、人間性が発揮されるか否かという「光と影」の考察）、岩野泡鳴（『耽溺』と五部作、「耽溺（の恋）から優強者の恋愛へ」「霊と肉、言葉と行為の合致」「現実と自己、刹那主義・生存苦悶説」）、芭蕉（風狂精神（無常感を基盤、あわれの心で（一木一草すべて生命あるものは無常を具現）、美の発見。身は世俗にありながら、同時に芸術の高みに心を遊ばせるという芭蕉の理想とした現実と芸術の一致――『野ざらし紀行』《野ざらしを心に風のしむ身哉》や『笈の小文』《百骸九けうの中に物有。名付けて風羅坊といふ。かれ狂句を好むこと久し》から『奥の細道』

——自然の歴史化（歴史的自然）へ《夏草や兵どもが夢の跡》《象潟や雨に西施がねぶの花》《荒海や佐渡によこたふ天河》《寂しさや須磨にかちたる浜の秋》など参照）、安部公房（『砂の女』が転換点。『飢餓同盟』『けものたちは故郷をめざす』などの孤独に女々しく歎く代わりに決然と孤独を背負う姿勢へ）、ノヴァーリス（シェリング「自然哲学」（詩的自然、自然の精神化）の『ザイスの弟子たち』『青い花』への文学的結実化。『青い花』での「自然の全体は道徳の精神の働きがあるからこそ成り立つのだ」想起）を挙げられる。

ジイド（『贋金つくり』が集大成、転換点（純粋小説及び抒情的精神から、生活＝感激の、芸術家・形而下的物質へ）（反自然主義思想に依る人間性の再建）（個人性と社会性の相対主義）。ロマン主義・象徴主義から個我を経て、人間悪の追及（現実主義）（『田園交響楽』『女の学校』など）へ。正義が到達点。『ドストエフスキー』『ゲーテ』も重要）シェイクスピア（抒情詩集と明るい史劇やロマンチックの喜劇から四大悲劇（リアリズム）へ。『ハムレット』が転換点。ドストエフスキーの『作家の日記（八〇年）』や『伯父様の夢』参照）、魯迅（虚無・暗澹から現実へ。『阿Q正伝』が転換点）。

〔完〕

あとがき

二〇一四年に、『文学の学び方』を上梓して以来、書き落としていた点を含めて、補完したいと、かねがね、思って来た。

そこで、今日、『文学マスター法』を出版することになった。本書は拙著『文学の学び方』『第二外国語マスター法』の姉妹篇である。

タイトルを、『文学への誘い』『文学研究の方法論』といろいろ考えられたが、結局、この『文学マスター法』に落ち着いた。

初めは、読書論、読書遍歴を著わしたいと考えていたが、途中から、読者に文学（作家論）研究のコツを、一人でも多くの方に伝授したいという気持ちが加わり、『文学マスター法』というタイトルになった。

特に、ルソーの思想的・文学的意義は、他書には見られないと思う。つまり、文学の方法論のルーツの端緒を提示し得たと思うのである。

さらに、第二章で、文学の科学性について触れたが、作家論構築に向けての論理構造を示したという自負を抱いている。

第三章では、作家論を作成する場合の具体（実際）例として、ドストエフスキーの前期の創作系譜（全容）を展開したのであり、このことによって、ドストエフスキー文学の方法論の秘密を引いては、文学の方法論そのものの理解、修得を体で感得出来たのではないかと思う。方法論獲得の経過（プロセス）を追体験して頂きたい。

専門家の多い中で、一身を顧みず、ゴルゴタの丘へ歩を進めたわけである。本書を読んで、一人でも多くの方が、文学が解るようになり、文学研究徒への道を進み、精神生活が潤うことを筆者は、期待している訳である。

尚、図表として、『主要作家論研究一覧表』及び付録として、「作家論研究一望」を付した。藤村、中野の浪漫的詩から小説へのみならず、詩人（全集）でも分岐点はある。

読者が、今後、卒論や修士論文及び研究論文を作成する際の目安となることを確信している。

〔但し、文学史の方法論は筆者の能力を超えるので割愛した。その際、平野謙氏が彼の全集で、「文学史の面白さを私に開眼させてくれた人は、唐木順三氏（『現代日本文学序説』など参照）」と語っている点を指摘したい〕

唐木順三氏の著作を観ると、文学的素養の博識、問題意識の斬新さ、文学史的展開の鋭さ、いわば、文芸哲学の趣を呈している点を指摘し得る（歴史性を含む）。（『唐木順三全集』筑摩書房）

最後に言って置きたいことは、書かないとダメであるということである。一枚の絵を見て、文化に接したつもりだが、文化に参与するためには一汗かかなくてはいけない。活字にしても良いという意識を持ちたい。

書くと、志賀直哉じゃないが、力（精神の強いリズム）になるし、チェーホフの『黒衣の僧』で、「ノートの梗概に取りかかると、穏やかで安らかな、むらのない気分が戻って来るような気がした」（第九節）を再度、引いて筆を擱きたい。

〔それは、ゴーゴリの単なる読書論（「読書は魂をバランスよくし、読後は満ち足りた気分に」）（一八四八年、書簡）よりも一歩、進めている〕

一口に文学研究（作家論）と言っても、そんなにたやすいことではない。初めの内は、何をどうやって良いか、途方に暮れるのである。小説の非科学的信仰観があるので。

大学の先生は、権威をちらつかせながら、政治運動（活動）ばかりやる。教えるポーズを取りながら、具体的に何一つ教えようとはしない。今の学生は勉強しないと言われるが、学生の責任ではない。但し、左派系の教官は断片的には教えるが。

そこで、個人全集の購入をお薦めしたい。その際、留意すべきは、次の三点であり、第一に、個人全集は全体が二等分され、即ち前半（前期）と後半（後期）とは、対立（反対）概念で捉えられ、第二に、前期や後期の創作系譜を貫く哲学（即ち位相）が明らかにされないと、作家論は息詰まる。本書の付録「作家論研究一望」参考。第三に、初（前）期と後期作品論、主義と事件、手法と構造、文学と世界観の考察の必要。本書所収の図表『作家論研究一覧表』参照。以上、作家論の方法論の技術の明示を試みた。

〔作家論の方法論（からくり）を解明して後、第二弾の作家論の構築完了時点で、確信に達する。例えば、ドストエフスキーから、太宰治や葛西善蔵へ、ゴーゴリやヘッセから、太宰やゴーリキイや岩野泡鳴や藤村や中野や萩原朔太郎へのライン及び北村透谷から、芥川や志賀直哉へ〕（傍点筆者）

〔ゲーテの「教育州」（『ヴィルヘルム・マイスターの遍歴時代』）やチェーホフの「神の王国」（『いいなずけ』）の実現は、故ヘッセの『ガラス玉遊戯』（『ヘルマン・ヘッセ全集』第十五巻所収、臨川書店――ノーベル文学賞受賞作）の「カスターリエン（精神的理想郷）」の提示となって現われる。例えば「精神と魂という観点から人間を集め、教育し、つまり人間を優生学によってではなく教育によって、血によってではなく精神によって、奉仕することも、支配することもできる貴族を作る試みがなされるのです」（「二つの教団」）と」

□参考文献□

(1)『ドストエフスキー全集』　米川正夫訳　（河出書房新社）
(2)『芥川龍之介全集』　昭和五十二年刊行開始　（岩波書店）
(3)『太宰治全集』　昭和五十年刊行開始　（筑摩書房）
(4)『志賀直哉全集』　昭和四十七年刊行開始　（岩波書店）
(5)『谷崎潤一郎全集』　平成二十七年刊行開始　（中央公論社）
(6)『チェーホフ全集』　昭和四十三年刊行開始　（中央公論社）
(7)『文学の学び方』　権藤三鉉　（文藝書房出版）
(8)『志賀直哉』　高田瑞穂　（学燈文庫）
(9)『谷崎潤一郎』　高田瑞穂　（市ヶ谷出版社）
(10)『チェーホフ上・下』　川崎浹　（紀伊国屋新書）
(11)『平野謙全集』　昭和五十年刊行開始　（新潮社）
(12)ルソー著『告白』　（岩波文庫・全三冊）
『孤独な散歩者の夢想』　（岩波文庫）

権藤三鉉（ごんどうさんげん）
1952年　福井県に生まれる。
1976年　早稲田大学教育学部国語国文科卒業。
1980年　早稲田大学文学部修士課程露文専攻中退。
会社員を経て、現在文筆業。
著書　『ドストエフスキー論』（文藝書房）
『第二外国語マスター法』（文藝書房）
『夏目漱石論』（文藝書房）
『太宰治論』（文藝書房出版）
『文学の学び方』（文藝書房出版）
——日本図書館協会選定図書——
『芥川龍之介論』（文藝書房出版）
『ドストエフスキーと近代作家』（文藝書房出版）
『近代作家と我が随筆』（文藝書房出版）
『チェーホフ論』（文藝書房）

文学マスター法
2020年9月25日　初版発行

著　者　権藤三鉉
発行者　熊谷秀男
発　行　文藝書房
〒101-0021　東京都千代田区外神田3-6-1
電　話 03（3526）6568
http://bungeishobo.com
ISBN978-4-89477-485-8 C0095